D0673358

Sorcier !

Moka

Sorcier !

5. L'Étoile

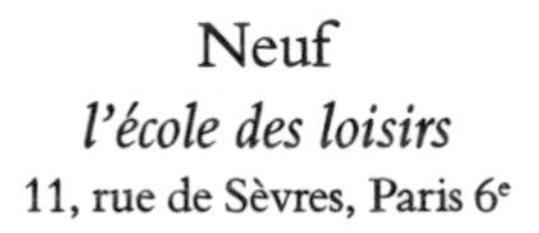

Neuf
l'école des loisirs
11, rue de Sèvres, Paris 6e

Du même auteur à *l'école des loisirs*

Collection Neuf

Un ange avec des baskets
La chose qui ne pouvait pas exister
L'esprit de la forêt
Jusqu'au bout de la peur
Un sale moment à passer
Vilaine fille
Williams et nous
Sorcier ! (1. Menteurs, charlatans et soudards)
Sorcier ! (2. Le Frélampier)
Sorcier ! (3. Le premier temps du chaos)
Sorcier ! (4. L'Honorable et le Monarque)

ISBN 978-2-211-08975-3

Loi n° 49.956 du 16 juillet 1949 sur les publications
destinées à la jeunesse : janvier 2008
Dépôt légal : janvier 2008
Imprimé en France par la Société Nouvelle Firmin-Didot
à Mesnil-sur-l'Estrée (86991)

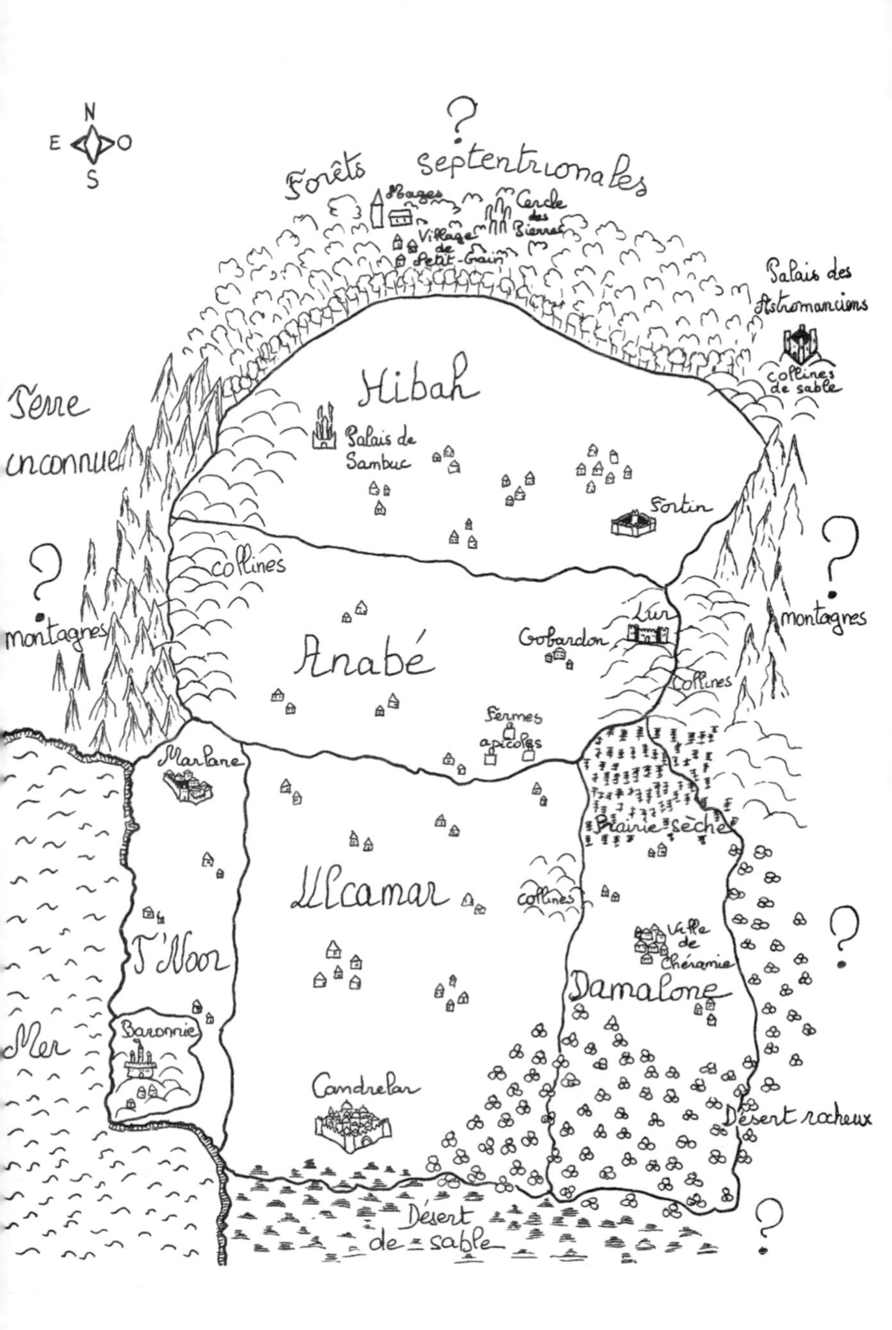
N
E
O
S
?
Forêts septentrionales
Mages
Cercle des Pierres
Village de Petit-Grain
Palais des Astromanciens
collines de sable
Terre inconnue
Hibah
Palais de Sambuc
Fortin
?
montagnes
collines
?
montagnes
Lur
Gobardon
Anabé
collines
Fermes apicoles
Marlane
Prairie sèche
Ulcamar
collines
?
Ville de Chéramie
T'Noor
Damalone
Baronnie
Mer
Candrelar
Désert rocheux
Désert de sable
?

Chapitre1
La vérité

Le vent s'était levé et grondait dans la nuit noire. Froideneige songea qu'un orage se préparait. Bizarrement, c'était une bonne nouvelle. L'hiver touchait à sa fin.

Siki-Siki réclama un verre d'eau. Ilex Minor le lui servit.

– Vous affirmez que de prétendues femmes sorciers vous parlent à l'intérieur même de la forteresse, dit Dystar. Et qu'elles vous ont appris pourquoi le Langage a été perdu ! Vraiment ?

– Oui. Votre tour d'Est est interdite, selon Maître Froideneige, parce que c'est un lieu impur ? Impur, en effet ! C'était la résidence des Honorables ! C'est pour ça que les Anciens ne voulaient pas que leurs successeurs s'y rendent ! Et cette histoire de sacrifices humains est une mystification. Nul n'ignore qu'un mensonge répété souvent finit par devenir la vérité. C'était bien le but de ces Anciens, coupables d'avoir perdu le Langage !

– Comment est-ce arrivé ? demanda Karzel.

– Commençons par le pourquoi, répondit Siki-Siki. Je ne sais pas, je le reconnais, d'où vient le Langage. C'est un grand mystère. Je suis sûre, en revanche, qu'il a surgi à une époque où Vénérables et Honorables exerçaient ensemble la magie. J'imagine que l'entente entre les Sorciers perdura pendant des siècles.

Siki-Siki but quelques gorgées d'eau. Elle tira profit de ces brèves secondes pour mettre de l'ordre dans ses idées. Regarder dans le chaudron était une expérience éprouvante, d'une effroyable violence. Son esprit avait été agressé, envahi d'images, de sons, de pensées étrangères et d'émotions inconnues. Malgré cette apparente confusion, tout était cohérent à la manière d'un livre dont on aurait dérangé les pages. Il suffisait de retrouver le début, et l'histoire se révélerait d'elle-même.

Siki-Siki reposa le verre. Il ne servait à rien de réfléchir. Elle devait juste dire, sans retenue, sans censure et sans peur.

– Puis quelques Maîtres en eurent assez de partager le pouvoir. Les hommes voulaient régner seuls. Ça paraissait simple : il suffisait d'empêcher les femmes d'accéder à la magie ! Les Vénérables s'attaquèrent au problème à la source, insidieusement. On refusa l'entrée de Lur aux femmes. Sans l'apprentissage des sortilèges, sans l'enseignement des plantes et des remèdes, sans instruction d'aucune sorte, on les renvoyait aux joies du foyer et de la maternité... Et les Honorables encore présentes à la forteresse furent contraintes de demeurer dans la tour d'Est, chargées de la rédaction des *Chroniques* et autres lois. Autrement dit, on les écarta de la pratique magique. Il n'y avait plus qu'à attendre que la dernière d'entre elles meure ! Malheureusement pour les hommes, cette dernière fut Gravatte. Et ce qu'elle laissa derrière elle est une forme de vengeance posthume...

– Les *Actes*, supposa Froideneige. Tout ça est très édifiant, néanmoins ça n'explique pas la disparition du Langage.

– Pourtant, si ! Et nous voilà au « comment » ! Les Anciens n'avaient pas compris que le Langage était né de l'alliance entre les hommes et les femmes ! À la mort de Gravatte, il n'est resté aux Vénérables qu'un ensemble de litanies devenues brutalement inutiles ! Les mots étaient là mais ils avaient perdu leur sens. La magie s'était éteinte avec l'Honorable.

– C'est du délire ! éclata Copiraille. Si tous les Anciens avaient trépassé en même temps encore, je pourrais l'admettre ! Je n'arrive pas à croire qu'à la seconde où Gravatte expirait les Maîtres Sorciers devinrent incapables d'utiliser le Langage !

– Vous réagissez comme vos prédécesseurs, remarqua Siki-Siki. Eux non plus ne pouvaient pas le croire ! Le Langage, c'est l'union de deux moitiés : le savoir et la parole. L'un sans l'autre ne produit rien. Les Honorables détenaient le savoir. Les Vénérables ont hérité de la parole ou plus exactement de la science de ses effets.

– Et les voix que vous entendez vous ont raconté tout ça ? railla Dystar. En si peu de temps !

– C'est ce que j'étais en train de vous expliquer, rétorqua Siki-Siki. J'ai pu pénétrer dans la tour d'Est en regardant dans le chaudron. Les murs se sont illuminés et j'ai vu le Langage ! Je suis entrée en possession du savoir !

Un long silence suivit. Puis, à la surprise générale, Chantepleure posa une question des plus pertinentes :

– Ben alors, si Siki-Siki est une Honorable, le Langage va réapparaître ?

– Morte corne ! s'exclama Tiercefeuille. Cet abruti a raison !

– On va pouvoir combattre avec l'aide de la magie ? s'enthousiasma Gris-Corbin. Hein ? N'est-ce pas ?

– Heu… non, balbutia Siki-Siki. Je crains que ce ne soit pas aussi facile.

– Et pourquoi non ? demanda Copiraille, mielleux.

– Elle n'est pas instruite, rappela Méd'hor. Il faut d'abord que Siki-Siki apprenne le Langage !

– Pas du tout, pas du tout ! protesta le Maître Bibliothécaire. J'ai écouté cette fill… jeune personne et, si on est logiques, la magie aurait dû nous être rendue à l'instant où elle est devenue une Honorable !

– Il m'est impossible de répondre à ça.

Copiraille renifla de contentement. Voilà qui remettait cette gamine prétentieuse à sa place ! Ce qu'il prenait pour un aveu d'impuissance n'en était pas un. Siki-Siki ne pouvait pas s'expliquer car elle aurait dû dévoiler le secret confié par le Devin Supérieur sur son lit de mort. Pourtant, elle sentait confusément que c'était là que résidait la vérité. Vexée, elle chercha un moyen de se défendre.

– Vous n'espérez quand même pas qu'il suffise d'un claquement de doigts pour retrouver tous vos pouvoirs perdus ? Il a fallu des siècles aux Anciens pour maîtriser le Langage !

– Peuh ! cracha Copiraille. Vous essayez de noyer le poisson !

Siki-Siki dut faire preuve de volonté pour se contrôler. Ce petit homme au crâne chauve avait le don de l'énerver.

– Kuzu Dambar m'a fait promettre de ne jamais révéler certaines choses. Je vais trahir ma promesse parce que j'estime que c'est devenu nécessaire. Souvenez-vous de la conspiration des Horrigans de Marlane... Kuzu Dambar m'a rapporté tout ce qu'il avait vu dans son chaudron trente ans auparavant. C'était le chaos, là où naît toute chose et où toute chose retourne, les ténèbres et la lumière ne faisant qu'Un. C'est la parfaite définition du Langage ! Le savoir appartient aux ténèbres, la parole à la lumière. Kuzu Dambar n'avait pas connaissance de la prophétie du Lampadéphore, qui est l'œuvre de Gravatte. Mais sa propre prédiction, celle du Frélampier, en est étrangement proche... Ces noms donnés à Finn suggèrent la lumière bien que leurs significations diffèrent.

– Je pige rien… gémit Chantepleure.

– Il n'y a pas que vous, constata Froideneige.

– On en revient toujours à la même chose, répondit Siki-Siki en souriant. Les ténèbres et la lumière !

– D'accord, acquiesça Karzel. Résumons : Finn, le porteur de flambeau, est le détenteur de la parole, qui n'est qu'une moitié du Langage. Qui a l'autre moitié ?

– Je pense que seul le Lampadéphore est en mesure de le découvrir, présuma Ilex Minor.

– C'est tout ? fit Copiraille. C'est tout ce que Kuzu Dambar vous a dit ?

Siki-Siki approuva. Elle croisa le regard de Karzel. Le Horrigan s'abstint de toute remarque mais il savait qu'elle mentait. Le Devin Supérieur lui avait aussi appris que Finn n'était pas le fils de Miricaï. Il y avait fort à parier que Siki-Siki dissimulait encore des informations.

– Il faut que je me rende dans la tour d'Est, déclara brusquement Siki-Siki.

– Hors de question ! cria Copiraille.

– Mon cher ami, dois-je vous rappeler que c'est

moi le Grand Maître ? Pourquoi voulez-vous aller là-bas ?

– Vénérable Dystar, les Honorables me prient de les rejoindre !

– À cet instant précis ?

– Non. C'est une impression que j'ai ressentie dès que je suis entrée dans la forteresse. Je dois y aller !

– La porte est verrouillée par une serrure que nul ne peut ouvrir.

– Je le peux, je l'ai déjà fait. Dans ma vision.

– J'y réfléchirai. Il se fait tard. On verra demain.

Siki-Siki n'insista pas. Elle était épuisée et aspirait à un peu de repos. Elle ignorait ce qui l'attendait dans la tour et elle ne se sentait pas la force d'affronter de nouvelles visions.

Tout le monde sursauta lorsqu'un éclair zébra le ciel. Un coup de tonnerre le suivit de près, ébranlant les murs épais de la forteresse. Puis la pluie s'abattit en rafales sur les fenêtres, poussée par les bourrasques de vent.

– Parfait, commenta Froideneige. Voilà le printemps qui s'annonce.

– Quand est-ce qu'on mange ? demanda Chantepleure.

– Y me semblait bien qu'on avait oublié, remarqua Réksopié.

Ce qui, de sa part, était assez comique.

*
* *

Siki-Siki se retourna sur sa couche et regarda vers la lucarne. Le jour était encore loin. Elle se redressa. Elle ne parvenait pas à s'endormir malgré la fatigue. Elle regrettait la présence rassurante de ses compagnons de voyage. Elle s'attendait à voir surgir des fantômes. Elle l'espérait presque... Le silence l'effrayait.

Elle se leva d'un bond. Elle refusait d'avoir peur. Qu'avait-elle besoin de l'autorisation de Dysta pour se rendre dans la tour d'Est ? Elle tâtonna pour trouver la sortie de sa cellule. Sur le seuil, elle s'immobilisa, hésitante.

Elle faillit hurler lorsqu'on effleura la main qu'elle avait posée sur le mur pour s'orienter dans le noir. Elle se ressaisit. Non, ce n'était que la caresse d'un courant d'air chaud. Chaud ? Dans ce couloir glacial ? Elle bougea les doigts. Il n'y avait rien. Cependant, elle continuait de sentir cette tiédeur douce sur sa peau. Elle tendit le bras en avant. Puis fit une chose complètement folle : elle ferma les paupières. Et commença à avancer.

La pression sur sa main se fit plus forte. Siki-Siki avait un fantôme pour guide. Ne l'avait-elle pas souhaité ?

Elle ne trébucha pas, ne rata pas une marche. Comme dans la vision du chaudron, elle était devant cette invraisemblable serrure aux multiples cadenas. Elle chercha les poussoirs du mécanisme et enclencha les pièces une par une. Clac, clac...

La porte glissa lentement sur le gluant tapis de poussière.

Les nuages se déchirèrent au moment où Siki-Siki ouvrait les yeux. La nuit était sans lune mais les astres soudain dévoilés brillaient d'un éclat stupéfiant. La lumière se déversa en rais par les étroites meurtrières dépourvues de vitres. Les faisceaux se rejoignirent au centre de la pièce carrée et dessinèrent une figure géométrique. Les rayons se mirent à pulser, changeant d'intensité et de couleur. Jaune, blanc, orange... comme des pierres précieuses qui scintillent. Les contours lumineux se précisèrent jusqu'à prendre l'apparence d'un objet solide.

C'était une étoile à huit branches, quatre grandes et quatre petites.

Puis la forme s'effondra sur elle-même. Siki-Siki aperçut alors le mur auquel elle faisait face. Elle poussa un cri et s'évanouit, terrassée par l'effroi.

*
* *

Le vent… Le rugissement du vent. Siki-Siki frissonna. Où donc était la couverture ?

– Quoi ?

Elle regarda, hébétée, le tabouret bancal. Elle était dans sa chambre, couchée par terre. Elle s'assit avec peine. Elle avait l'impression d'avoir été rouée de coups tant son corps lui faisait mal. Elle ignorait comment elle était revenue dans la cellule. L'avait-elle vraiment quittée ? Elle ne pouvait croire à un simple rêve. Elle se souvenait trop bien de ce qu'elle avait vu.

La matinée était avancée. Siki-Siki descendit au réfectoire, où les autres étaient déjà attablés. Chantepleure contemplait, dépité, l'infâme gruau servi par un Trago de mauvaise humeur. Méd'hor, toujours aussi patient, récapitulait à mi-voix les événements de la veille à Réksopié. Dystar et Copiraille se présentèrent peu après.

Le Grand Maître estimait inutile de faire montre de politesse. Il se contenta d'un mouvement de la tête pour saluer ses hôtes. Puis il apostropha Siki-Siki.

– Je n'ai pas encore pris de décision concernant votre demande. Vous me permettrez de mettre en doute vos allégations. En attendant d'avoir des preuves plus tangibles, je préfère que vous n'alliez pas dans la tour d'Est.

– Soit, répondit Siki-Siki. Ça n'a guère d'importance.

– Ah bon ? s'étonna Copiraille. Hier, à vous entendre, c'était primordial !

– J'y ai réfléchi depuis. Je n'ai pas besoin de me rendre dans la tour avec mes pieds. Mon esprit me suffit !

Siki-Siki évita le regard de Karzel en s'intéressant au contenu de son bol. Elle fit une horrible grimace en avalant la bouillie d'épeautre.

– Vous n'auriez pas quelque chose qui tienne au corps plutôt qu'à la cuillère ? protesta Tiercefeuille. C'est de la nourriture pour les cochons, ça !

– C'est donc tout à fait approprié, ricana Copiraille.

L'Engoulant aurait volontiers passé le Vénérable au fil de l'épée, histoire de vérifier si les Sorciers avaient réellement perdu leurs pouvoirs.

– Nous devons parler sérieusement de ce que nous allons faire, dit Ilex Minor.

– Si vous avez des propositions, faites-nous-en part ! répliqua Dystar en haussant les épaules.

– Il faut donner les *Actes* de Gravatte à Siki-Siki, remarqua Méd'hor.

– Oh, évident ! s'exclama Copiraille. Elle va nous les lire, c'est sûr ! Ridicule !

Karzel claqua sa main sur la table. Il se leva et toisa le Maître Bibliothécaire d'un air sombre. Siki-Siki eut envie de rire tant la différence de taille entre eux deux était grande.

– Vous allez finir par m'énerver. Et pourtant, ce n'est pas facile. C'est le chaudron qui nous a conduits à Lur. Ce n'est pas sans raison. Je suis du même avis que Méd'hor. On doit remettre les *Actes* à Siki-Siki.

– Ce livre est notre propriété, répondit Dystar. Je n'ai pas l'intention de le livrer à la vue de tout le monde sans en avoir d'abord discuté avec les Vénérables. Froideneige, Copiraille, suivez-moi.

Les trois hommes sortirent aussitôt. Réksopié trouvait bizarre qu'Ilex Minor fût ainsi tenu à l'écart. Le Devin Supérieur lui rappela qu'il était Horrigan, comme lui.

– Et maintenant, on fait quoi ? bougonna Tiercefeuille. On reste planqués ici pendant que des fous furieux ravagent nos comtés ?

– On cherche une étoile à huit branches, dit Siki-Siki.

– QUOI ? hurla Mirz'ha.

La jeune fille prit place face au vieillard et articula lentement chaque mot. Elle prétendit avoir fait un rêve durant la nuit. Elle décrivit dans le détail l'apparition des faisceaux de lumière dans la tour d'Est. Quant à ce qu'elle avait vu dans le mur, elle le garda pour elle car elle ne savait pas quoi en penser.

– L'un d'entre vous a-t-il une idée sur cette étoile ? demanda-t-elle.

Elle n'obtint qu'un long silence, troublé par les bruits de mastication de Chantepleure. Il s'était resservi du gruau d'épeautre.

Chapitre 2
Un vieil ami

Le Singulier éternua puis s'essuya le nez sur sa manche.

– Temps de chien... râla-t-il. Je suis trempé jusqu'aux os. Vivement qu'on dorme au chaud dans ta forteresse, hein? Hé! Pet de crapaud! Tu m'écoutes?

– Quand ça sera intéressant, répondit Finn en sellant Brume.

– Chais pas pourquoi tu tiens tellement à ma compagnie, maugréa le nain.

– Une idée comme ça... Dépêchons, j'aimerais arriver à Lur avant ce soir.

La jument fit un brusque écart au moment où Finn allait mettre le pied à l'étrier. Il s'étala dans la neige pour la plus grande joie du Singulier. Finn se releva et saisit à nouveau les rênes, mais Brume recula. Jamais auparavant elle ne s'était comportée ainsi. Finn examina le harnachement, supposant que la selle ou le mors la blessait.

– Qu'est-ce qui ne va pas ? demanda Finn.

– T'attends que cette sale bête te réponde ?

Sur ce, Brume agita la crinière et hennit en tournant la tête vers le sud, les naseaux frémissants.

– Oui, elle vient de le faire, constata Finn. Elle sent quelque chose. Il faut aller voir.

– Ah bon, c'est elle qui commande ?

Finn lâcha les rênes et partit à pied dans la direction indiquée par Brume. Le Singulier le traita de pourri du cerveau et lui emboîta le pas. Les deux animaux les suivirent aussitôt. Parvenu au sommet de la petite colline, Finn reconnut l'endroit. Il avait emprunté ce chemin en se sauvant de Lur. À trois ou quatre heures de marche se trouvait l'immense prairie de Damalone. En été, elle était sèche. Ce n'était sans doute pas le cas en cette saison. Brume souffla doucement dans le dos de Finn. Celui-ci s'arrêta et observa les alentours. Il poussa une exclamation : en contrebas, un corps gisait, face contre terre. Le Singulier se frotta les mains de satisfaction.

– Parfait ! Avec un peu de chance, il a des besants dans les poches et de la nourriture dans sa besace !

Finn fronça les sourcils et le dévisagea d'un air réprobateur.

– Ben quoi ? dit le nain en ouvrant grand les bras. S'il est mort, il n'en a plus besoin !

– Et s'il ne l'est pas, tu as l'intention de l'achever ?

– Ça serait peut-être faire preuve de compassion. Vu d'ici, il ne me paraît pas très en forme...

Finn ne pouvait pas vraiment critiquer l'attitude du Singulier. Lui-même n'avait pas hésité à détrousser des cadavres. Cependant, sa situation présente était différente de celle d'alors : il avait des provisions, un cheval et de l'argent.

Il dévala la faible pente en petites foulées. Au fur et à mesure qu'il s'approchait du corps étendu, une profonde angoisse montait en lui. La silhouette, les vêtements lui semblaient familiers... Il freina brusquement sur le sol verglacé.

– Oh non... Ce n'est pas possible !

La stupeur passée, il se précipita en appelant.

– Chéramie ! Chéramie !

Il s'agenouilla et, avec une extrême douceur, retourna le jeune garçon. D'une main tremblante, il toucha son front. Chéramie était gelé. Finn se pencha sur son visage à la recherche d'un quelconque signe de vie. Puis il se redressa.

– Prunelle, viens là ! Singulier, trouve du bois, il faut faire un feu pour le réchauffer ! Il est vivant !

– Ah, dommage !

Finn enveloppa Chéramie dans sa couverture en peau de lapin. Celui-ci n'avait aucune plaie apparente, juste quelques écorchures sans gravité. Le froid et l'épuisement étaient la cause de son état. Pendant que le nain s'affairait, Finn prit les herbes séchées dans les sacoches de Prunelle. Il mélangea du romarin, de la sauge, de la molène et des fleurs de sureau dans la petite marmite qui servait à la préparation des remèdes. Il y ajouta des poignées de neige.

– Je n'ai trouvé que ces ronces et ces branchettes, dit le Singulier. Et je me suis bien piqué, merci !

Il empila des pierres puis alluma le feu. Les flammes crachotèrent. Le bois dégageait une fumée verdâtre. En attendant que les plantes infusent, Finn frictionna énergiquement les membres de Chéramie pour activer le sang.

– Ça s'éteint déjà ! s'écria Finn, dépité.

– Quand on n'a pas, il faut faire sans, pet de crapaud ! Observe !

Se protégeant avec les pans de sa pelisse, le nain

s'empara d'un caillou brûlant et le jeta dans le récipient. Il répéta l'opération plusieurs fois. À la grande surprise de Finn, l'eau finit par bouillir.

– Astucieux ! Viens m'aider ! Frotte les jambes de Chéramie.

– Tu le connais donc, ce môme ?

– Oui. Et je me demande ce qu'il fait loin de chez lui !

Un léger gémissement passa entre les lèvres gercées de Chéramie. Finn lui parla pour le ranimer, sans succès. Quand il jugea que la décoction était prête, il la versa dans une des gourdes. Soulevant le buste du garçon, il fit glisser le liquide dans sa gorge. Un peu de couleur revint sur les joues de Chéramie.

– Oooh... Maître... Maître, c'est toi ?

Finn poussa un soupir de soulagement et sourit.

– Ne t'agite pas. Il faut que tu boives toute ma potion.

Chéramie aperçut le Singulier et ouvrit de grands yeux effrayés.

– Ne t'inquiète pas ! L'affreux gnome est un... un... enfin, il est avec moi !

Comme il y avait encore de la tisane dans le fond de la marmite, Finn y trempa des tranches de pain de châtaigne. Ainsi ramollis, les morceaux étaient plus faciles à avaler. Malgré sa lassitude, Chéramie réussit à manger. Il était affamé.

– Ça va mieux ? Maintenant, si tu en as la force, j'aimerais savoir ce que tu fais par ici !

– J'allais à Lur... prévenir les Vénérables...

– Pourquoi ?

– Une chose horrible est arrivée...

La tête de Chéramie roula vers l'avant. Finn l'allongea à nouveau et resserra la couverture autour de lui.

– Je voudrais entendre la suite, dit le Singulier. J'adore les histoires horribles quand je ne suis pas concerné.

Finn pensa au Pot sacré qu'il avait malencontreusement jauni en faisant pipi dedans par erreur. Il ne s'agissait quand même pas de ça ? Chéramie reprit conscience et voulut se redresser. Finn lui conseilla de ne pas bouger.

– Maître... C'est la providence qui t'a conduit jusqu'à moi ! Je dois... ah...

– Pas sûr que cette crotte de nez survive, commenta le Singulier. Non pas que je m'en réjouisse : y a rien d'intéressant dans ses affaires.

Fâché, Finn lui arracha la besace qu'il était en train de fouiller. Un récipient à deux anses s'en échappa. Il était vide mais il y avait des traces blanchâtres sur les parois. Il avait dû contenir du fromage.

– On reste avec mon ami. Il nous faut du bois. Allez ! Vas-y !

Le Singulier se plaignit de se taper toutes les corvées et que c'était vraiment pas juste. Finn lui rappela qu'il y avait encore quelques saucisses... et qu'elles n'étaient bonnes que bien grillées. Il n'en fallait pas plus pour convaincre le nain qu'allumer un feu était une merveilleuse idée.

*
* *

Le soleil fit une percée en fin de matinée. Chéramie se remettait peu à peu grâce aux remèdes que Finn lui faisait prendre. Les saucisses, surtout, améliorèrent son état de santé, au grand désespoir du Singulier.

Chéramie fut enfin en mesure de relater les faits qui l'avaient forcé à quitter sa maison. Plusieurs jours auparavant, la Garde incarnate d'Ulcamar avait envahi son comté. Les chefs de clans dont Patriarche, le père de Chéramie, avaient été arrêtés. Puis tous les hommes au-dessus de quinze ans avaient été enrôlés. Le capitaine de la Garde avait menacé d'assassiner les chefs s'ils refusaient d'obéir. Les prisonniers avaient été emmenés vers Candrelar pour y être incarcérés.

– Ils ont juré d'exécuter Patriarche et les autres si on cherchait à déserter, pleura Chéramie. Ils veulent qu'on aille se battre contre les Princes d'Hibah. Mais on n'est pas des soldats, nous ! Mes frères, mes cousins, mes camarades… Tous partis ! Moi, j'y ai échappé parce que je suis petit de taille. Patriarche a fait croire que je n'avais pas l'âge.

Finn lut la honte sur son visage et eut pitié de lui.

– C'était la seule chose raisonnable à faire, approuva-t-il. Qu'espérais-tu en allant à Lur ?

– Les Vénérables doivent nous aider ! s'écria Chéramie. On a besoin de leur magie !

– Ah… Le capitaine Dorn ne vous a pas dit que les Sorciers n'avaient aucun pouvoir ?

– Oui, il espérait nous tromper ! Nous ne sommes pas aussi stupides ! On sait ce que tu as fait !

Un tic nerveux fit cligner la paupière droite de Finn. On n'avait donc pas oublié son passage à Damalone !

– Fait quoi ? demanda le Singulier. Combien de morts ? La dernière fois, il y en a eu…

Le Singulier ricana en faisant semblant de compter sur ses doigts. Lorsqu'il arriva à vingt, Chéramie était terrorisé. Et admiratif.

– Ne prête pas attention au vilain gnome, dit Finn. Je n'ai jamais tué personne !

– Tu jettes des sorts qui rendent fou ! rétorqua le Singulier. J'étais présent, je te rappelle !

– C'est vrai ? Tu peux faire ça, Maître ?

– Ne l'écoute pas. Il s'amuse à t'effrayer !

– Mais j'ai vu le Grand Événement ! répondit Chéramie.

Avec enthousiasme, il expliqua au Singulier comment Maître Finn leur avait montré la voie de la sagesse. Il raconta l'histoire du Pot sacré à la blancheur immaculée, fabriqué par un de ses ancêtres. Les Chéramie étaient obsédés par la recherche de la perfection, ce blanc pur qu'ils ne parvenaient pas à reproduire. La magie de Finn avait jauni le Pot sacré. Ils avaient retenu la leçon : se contenter de faire de son mieux était le secret du bonheur.

Le Singulier se gratta la tête, abasourdi.

– Un pot qui devient jaune ? Et c'est tout ?

– Oh non ! Maître Finn a aussi lancé une incantation de protection sur la fabrique. Plus aucun four n'a posé de problème depuis ! Et après, Finn s'est envolé par magie ! Pfuit ! Évanoui dans les airs ! Une seconde, il était dans la chambre. La suivante, disparu !

Il fallut quelques instants à Finn pour comprendre de quoi il parlait. Il eut du mal à ne pas rire en se souvenant. Il s'était échappé par la fenêtre ! De la sorcellerie, en vérité !

– Il n'y a plus de potiers, c'est une catastrophe ! se lamenta Chéramie. Mais tu vas délivrer Patriarche, ramener tout le monde à la maison et punir les drapiers d'Ulcamar, n'est-ce pas ?

– Oh, pas de problème ! l'assura Finn.

– Hein ? hurla le Singulier. Tu ne vas pas changer tes plans ? On devait se rendre à ta forteresse !

– Je vais là où le destin m'envoie.

– Encore des ennuis… maugréa le Singulier.

*

* *

Finn sondait son esprit dans l'espoir d'y trouver le Frélampier. L'avait-il vraiment chassé ? Certes, il l'avait voulu. Il avait cohabité trop longtemps avec cet être étrange et terrifiant pour ne pas se méfier de son emprise. Cependant, avec le Frélampier, il n'avait pas peur. Il se savait protégé quoi qu'il fasse.

Il ne regrettait pas la haine et la colère. Il ne se sentait même pas coupable. Seulement, il aspirait à *autre chose*.

Le Lampadéphore. Où était-il ? Il ne se manifestait pas comme le Frélampier. À la réflexion, celui-ci n'était pas apparu d'un seul coup. Il avait grandi jusqu'à imposer sa présence. L'heure du Lampadéphore n'avait-elle pas déjà sonné ? Car Finn ne comprenait pas pourquoi il était aussi calme. Il partait affronter un comté dévasté, une armée et une guerre sans la moindre appréhension. Il avait besoin de la sauvagerie du Frélampier, pas de cette aberrante sérénité !

Finn saisit son ventre à deux mains, surpris par un tressaillement d'une incroyable violence. Il ouvrit les yeux et vit les étoiles filantes incendier le ciel noir. Il sut alors à quel point il s'était trompé. Le Lampadéphore n'avait rien de paisible.

Et s'il portait un flambeau, c'était bien pour mettre le feu.

Chapitre 3
La reine Mélipona

L'hiver s'attardait à Hibah alors que le printemps s'annonçait dans les autres comtés. Les maigres réserves des pauvres gens arrivaient à épuisement. Les plus malheureux prenaient la route en direction des domaines princiers. Certains mouraient en chemin de faim, de froid ou de fatigue.

On se pressait en masse devant le palais de Sambuc. Par le passé, le Premier Dignitaire avait parfois été généreux. Les Piquiers ne laissaient entrer personne, faute d'en avoir reçu l'ordre. Mais qui, ici, se préoccupait de la question ?

Depuis le retour de son capitaine, Gastel n'avait plus grand-chose à faire. Il fut donc assez content lorsque Mélipona entra dans son poste.

– Princesse, salua-t-il. Puis-je vous être utile ?

– En effet. Faites ouvrir les portes.

– Pour quelle raison ? demanda Gastel, bien qu'il eût deviné.

– J'ai prévu une distribution de vivres et de couvertures pour ces nécessiteux qui implorent notre pitié depuis deux jours sans qu'on y prête la moindre attention.

Gastel manifesta son respect en s'inclinant. Comme la plupart des Piquiers, il venait d'un de ces villages si souvent frappés par la famine.

– Croyez-moi, nous n'y sommes pas insensibles. Nous attendions juste qu'on nous permette d'agir !

Il l'assura qu'il se chargeait de tout organiser. Mélipona l'en remercia. Au moment de sortir, Gastel se retourna vers elle, un sourire sur les lèvres.

– Vous n'êtes pas une princesse. Vous êtes une reine. Comptez sur moi en toutes circonstances.

– Je le ferai, répondit Mélipona avec le plus grand sérieux.

Elle resta dans le poste après son départ. Derrière la fenêtre, elle observa le déroulement des opérations. Les serviteurs et les Piquiers s'activaient dans la bonne humeur. Aucun d'eux ne se plaignait d'accomplir un tel travail. On s'échangeait des nouvelles de la famille ou des voisins, on reconnaissait un parent dans la foule, on riait même autour des marmites fumantes. Et le nom de Mélipona, la bienfaitrice, circulait de bouche en bouche.

Satisfaite, elle décida qu'il était temps de rentrer dans ses appartements. Une femme se tenait recroquevillée dans un coin, la tête sous un châle miteux. Elle semblait se cacher. Intriguée, Mélipona s'approcha d'elle.

– Pourquoi n'allez-vous pas prendre quelque chose de chaud ?

La femme tira aussitôt un bout d'étoffe pour se couvrir la face.

– Je me contente du pain, votre Splendeur.

Mélipona se pencha vers elle et écarta le pan du châle. Elle ne cilla pas.

– Je vais vous chercher un bol de soupe.

– Oh ! C'est à moi de vous servir !

– Ça peut se faire, acquiesça Mélipona après une brève réflexion.

– On ne voudra pas de moi dans votre palais.

– Justement, c'est mon palais ! J'y fais ce qui me plaît. Comment vous appelez-vous ?

– Chimizou, votre Splendeur.

– L'intendant se lamente toujours de ne pas avoir assez de domestiques pour nettoyer les couloirs et les cuisines ! Ne bougez pas. Je vais vous envoyer Francolin. Il vous guidera.

Chimizou leva son visage déformé par de terribles balafres. On aurait dit qu'on l'avait défigurée à coups de sabre. Une larme suinta sous sa paupière gauche, à moitié fermée par la mauvaise cicatrisation des chairs. Mélipona aperçut l'iris blanc cerclé de bleu pâle. L'œil était aveugle. Il était difficile de donner un âge à Chimizou. Cependant, ses longs cheveux gris et son dos gibbeux suggéraient qu'elle était plutôt vieille.

– Le futur vous rendra grâce, votre Splendeur.

Mélipona trouva la remarque vraiment étrange.

– Je ne suis que princesse. « Votre Splendeur », c'est pour le Premier Dignitaire !

Chimizou se courba jusqu'à toucher le sol du front. Sa voix parvint, un peu étouffée.

– C'est le Piquier qui a raison. Vous êtes une reine.

Mélipona se mit à rire.

– Vous avez entendu Gastel par la porte ouverte du poste de garde ! Ce n'était qu'une expression, vous savez !

La vieille femme se redressa et la fixa de son œil noir. Quelle intensité dans ce regard borgne !

– Mais il le pensait. Et il a dit que vous pouviez compter sur lui. Comptez sur moi.

Chimizou pointa le doigt vers les miséreux au milieu de l'esplanade.

– Comptez sur eux.

*
* *

Larix Vibur avait un épineux problème à régler. Empoisonner les gens n'était pas si simple que ça. La veille, il avait réussi à verser sa potion dans la soupe de champignons commandée par Mélipona. Acer avait distrait la compagnie en faisant un esclandre à propos d'un tableau accroché de travers. Il ne pouvait pas recommencer tous les soirs.

Le Vidame traînait du côté des cuisines à la recherche d'une solution pratique. À l'heure du dîner, il y avait tellement de monde qu'il semblait impossible d'agir sans être repéré. Il n'était pas loin de renoncer lorsqu'il surprit une conversation entre les serviteurs. Ils parlaient d'un plateau à préparer pour la princesse qui souhaitait rester dans sa chambre car elle était souffrante. Le cuisinier demandait quelqu'un pour porter le repas.

Une créature tordue au visage effrayant s'extirpa

d'un renfoncement derrière la cheminée et proposa ses services. L'empressement que l'on mit à accepter était significatif: on préférait que le monstre fût hors de vue.

Larix Vibur trottina vers l'escalier en se frottant les mains. Les événements évoluaient en sa faveur. Les êtres meurtris par la vie faisaient d'excellents complices, rancuniers, sans scrupule et aisément corruptibles.

Il n'eut pas à attendre longtemps. Bientôt, la silhouette difforme de la vieille femme apparut. Elle baissa la tête en apercevant le Vidame, un réflexe dû à l'habitude de se cacher la face. Larix Vibur surmonta son dégoût et lui sourit avec bienveillance.

– N'ayez crainte, ma bonne dame. Je ne vous veux aucun mal. Hum… Je n'ai besoin que d'un petit moment avec… hum… ce plateau.

Chimizou eut un mouvement de recul quand le Vidame porta la main à sa poche. Mais elle se rapprocha en voyant le besant d'argent dans la paume tendue vers elle.

– Je suis tout à fait disposé à vous le donner en échange de ces quelques secondes.

– Je ne comprends pas, Maître.

– Il n'y a rien à comprendre. Posez donc ça sur

les marches et allez jusqu'à l'angle du couloir vous assurer que personne ne vient.

Chimizou resta immobile. Larix Vibur insista en lui promettant un besant tous les jours où elle porterait son dîner à la princesse.

– Tous les jours ? répéta-t-elle.

Le Vidame considéra sa réaction comme le signe de sa cupidité. Il s'en réjouit intérieurement.

– Ne vous inquiétez pas. Personne ne vous reprochera quoi que ce soit. Vous avez ma parole.

Chimizou acquiesça et se dépêcha de lui obéir. Dès qu'elle fut un peu éloignée, Larix Vibur prit le minuscule flacon qu'il dissimulait sous sa chasuble. Il versa quelques gouttes du liquide dans le potage. Il hésita puis fit de même dans la sauce aux airelles. Il manquait de pratique avec les poisons. Il n'était pas très sûr de la quantité nécessaire. Ça serait bête de tuer Mélipona trop vite. Il rappela Chimizou et lui glissa la pièce en lui recommandant de garder le silence.

– Qui m'écouterait ? répondit Chimizou. Les gens m'évitent et moi, je les fuis.

– Parfait. Filez maintenant. La viande va être froide.

Le Vidame ne s'attarda pas dans les parages.

D'ailleurs, c'était aussi l'heure de son souper. La satisfaction du travail accompli lui ouvrait l'appétit.

Parvenue en haut de l'escalier, Chimizou se retourna. Le Horrigan avait déjà disparu. Elle repartit de son pas fatigué.

Francolin passait la serpillière devant les appartements de Mélipona. Il fronça les sourcils en voyant la vieille femme. Chimizou l'impressionnait, non pas à cause de son aspect repoussant mais parce qu'il ressentait une curieuse émotion en sa présence. Il ne savait pas pourquoi, ce qui le troublait d'autant plus.

Il la devança pour frapper à la porte et annonça l'arrivée de la servante. Il fallait prévenir la princesse pour lui laisser le temps de se préparer. En effet, elle était supposée être alitée. Une voix faible répondit d'entrer. Francolin introduisit Chimizou dans la chambre.

Mélipona était allongée sur son lit, les cheveux défaits. Des cernes verdâtres creusaient ses joues pâles. Francolin apprécia l'effet : elle avait vraiment l'air malade !

– Oh, je n'ai pas très faim… gémit Mélipona.

Chimizou se déchargea de son plateau sur une table. Puis elle s'inclina devant la princesse.

– Votre Splendeur devrait au moins manger les pommes et les châtaignes.

– Un peu de soupe, peut-être, dit Mélipona.

– Je vous le déconseille. À mon avis, elle est un peu lourde à digérer.

– Ah bon ? s'étonna Francolin. Je la trouve plutôt claire !

– Tout dépend des aromates, répondit Chimizou.

Mélipona se redressa et la regarda avec intérêt.

– Qu'y a-t-il dedans ? demanda-t-elle.

– Un ingrédient que n'y a pas mis le cuisinier !

Chimizou exhiba le besant d'argent et relata sa rencontre avec Larix Vibur.

– Ce méchant homme est trop sûr de lui pour imaginer qu'on puisse le berner, ricana-t-elle.

– Je l'espère ! dit Mélipona. Merci, Chimizou.

– Je vous suis toute dévouée, votre Splendeur. Que désirez-vous que je fasse, maintenant ?

– Continuez de jouer le jeu du Vidame. Soyez prudente, quand même. Il est dangereux. Francolin ira me chercher à manger plus tard. Je me contenterai des fruits en attendant !

– Je n'ai pas peur de grand-chose, affirma Chimizou. Mais je suis inquiète pour vous. Pourquoi ce Sorcier veut-il votre mort ?

– Ce n'est pas son idée. Il est aux ordres de mon beau-frère. Acer veut se débarrasser de moi pour s'accaparer mon héritage.

Francolin précipita le départ de Chimizou. Elle risquait d'éveiller les soupçons si elle ne regagnait pas rapidement les cuisines. Une fois seul avec la princesse, il la réprimanda.

– Vous en avez dit plus que nécessaire ! Vous n'êtes pas assez méfiante !

– J'étais obligée d'expliquer pourquoi le Vidame voulait m'empoisonner. Et puis, j'ai confiance en Chimizou.

– Groumff... grogna Francolin. Moi, pas !

– Vous ne faites confiance à personne ! Soyez juste : Chimizou n'a pas hésité à tout nous raconter. Elle nous a prouvé sa loyauté. Qui plus est, c'est une chance que le Vidame se soit adressé à elle.

– On savait déjà ce qu'il projetait de faire.

– Sans doute. Cependant, Larix Vibur pourrait modifier ses plans en constatant que je tarde à mourir ! Il est étranger à ce palais où il n'a aucun allié en dehors d'Acer. S'il pense que Chimizou est facile à corrompre, il fera encore appel à elle pour parvenir à ses fins.

Francolin admit que c'était une possibilité puis

changea de sujet. On lui avait rapporté que Nahn avait approuvé le travail des architectes. La construction du mausolée commencerait dans les jours prochains. Les sculpteurs avaient fini le modèle en plâtre de la statue de Sambuc. Le Premier Dignitaire était représenté à cheval, ce qui faisait beaucoup rire Mélipona. Son père ne s'était jamais déplacé autrement que dans un chariot en raison de son obésité.

– Acer ne quitte pas le Grand Orfèvre, remarqua Francolin. Il a une idée derrière la tête.

– C'est sûr ! Il veut s'attirer ses faveurs, comme les Connétables ! Nahn doit se moquer de leurs efforts. Il est loin d'être crédule. Oh ! Regardez ! Il y a de nouveau des étoiles filantes !

Mélipona s'approcha de la fenêtre pour observer le phénomène.

– On dirait que le ciel est en feu, c'est incroyable ! C'est… Aïe !

Elle se tordit sous l'effet de la douleur. Son ventre se contracta une deuxième fois, moins violemment. Affolé, Francolin la prit dans ses bras pour la soutenir.

– Il faut vous allonger, princesse !

– Non, ça va. C'est passé.

– Vous devez vous reposer ! C'est un ordre et je ne vous demande pas votre avis !

Elle lui obéit sans protester. Puis sourit.

– Ça tombe bien, je suis supposée être malade !

– Ce n'est pas amusant !

Mélipona lui répondit que plaisanter lui donnait du courage. Étant donné les circonstances, elle en avait plutôt besoin.

Chapitre 4
Et que la lumière soit

La discussion entre les Vénérables s'éternisait. Il y avait fort à parier que Froideneige s'opposait à Copiraille. Le mot de la fin appartiendrait sans doute au Grand Maître, dont il était difficile de deviner les intentions.

Siki-Siki guettait le moment propice pour s'entretenir avec Loudana. Par un fait exprès, la mère de Finn n'était jamais seule. Des éclats de voix parvinrent de l'office. Furieuse, Loudana en sortit. Karzel se tourna vers Siki-Siki et lui adressa un discret signe de la tête.

– Vous avez un problème ? s'enquit aimablement Siki-Siki.

– Ce Trago me met hors de moi, répondit Loudana. Toujours en train de faire des réflexions désagréables !

– Il vous faut un peu d'air frais ! Venez, profitons de ce rayon de soleil pour nous promener dans le jardin.

Elle passa son bras sous celui de Loudana et l'entraîna. Karzel leur emboîta le pas après s'être assuré que ni les Horrigans ni les Frères ne s'intéressaient à eux.

– Vous êtes gentille, dit Loudana. Ce n'est vraiment pas amusant de rester enfermée ici avec ces vieux bougons et cet abruti de cuisinier !

Pour la mettre en confiance, Siki-Siki relata sa rencontre avec Finn. Elle ne lui dévoila évidemment rien d'important. Loudana était folle de joie d'avoir enfin des nouvelles. Siki-Siki lui jura que Finn se portait à merveille et qu'elle n'avait aucune raison de s'inquiéter pour lui.

– Les Vénérables ne me parlent jamais de mon fils, se plaignit Loudana.

Elles marchèrent jusqu'au banc où elles s'assirent. Loudana se pencha et murmura :

– Ce drôle d'homme nous observe…

– Il est avec moi. Nous devons absolument discuter avec vous. Sans que les autres en soient informés.

– Pardon ?

Karzel prit son temps avant de les rejoindre. Quand il fut certain que personne ne les observait, il s'approcha.

– Écoutez, reprit Siki-Siki, nous savons que Miricaï n'est pas le père de Finn.

Loudana se raidit et resta muette.

– Vous l'avez caché aux Vénérables, n'est-ce pas ? Nous ne sommes pas là pour vous créer des ennuis. La situation est grave et nous avons besoin de connaître la vérité pour aider Finn à rétablir la paix dans les comtés.

– Quoi ? Quel est le rapport entre la guerre et mon fils ?

Siki-Siki lui apprit que le Devin Supérieur Kuzu Dambar avait prédit un formidable destin à Finn. Loudana écarquilla les yeux, à la fois impressionnée et très fière.

– Si Finn a autant de pouvoir, remarqua Karzel, ce n'est pas grâce à Miricaï. Et pour cause… L'explication est ailleurs. Qui est le vrai père de Finn ?

– Mais je l'ignore ! gémit Loudana.

– Vous devez nous raconter ce qui s'est réellement passé, dit Karzel. De quoi vous souvenez-vous ?

– Il avait une belle voix.

– C'est pas tout, j'espère! s'exclama Siki-Siki. À quoi ressemblait-il?

– À Finn. En plus grand. Oui, c'est ça, il était grand et musclé. Il flânait au bord de la rivière. Il chantait. Je crois que c'est ce qui m'a plu chez lui... Il chantait si bien! Il m'a fait un brin de causette. Je n'avais pas l'habitude d'entendre de jolies choses sur moi. J'ai été orpheline très tôt et la vie était dure pour une jeune fille toute seule. Voilà... Il m'a séduite. Et puis il est parti.

– À cheval? demanda Karzel.

– Oui, en effet!

– Et comment était-il habillé?

Loudana se gratta la tête.

– Rien de particulier.

– Et il n'a pas mentionné d'où il venait? Où il allait? Ce qu'il faisait à Gobardon?

– Il était de passage, c'est tout ce que je sais.

– Même pas son nom? s'étonna Siki-Siki.

– Peut-être qu'il me l'a dit... Il a pu mentir, de toute façon!

– C'est possible, admit Karzel. Réfléchissez encore. Les plus petits détails peuvent nous mettre sur une piste.

Loudana haussa les épaules. Non, vraiment, elle ne se rappelait rien d'autre. Elle commençait à avoir froid et manifesta le désir de rentrer. Karzel approuva : leur absence risquait d'être remarquée. Siki-Siki se leva, avança de quelques pas puis se retourna brusquement.

– Mais au fait… De quoi parlait la chanson ?

Loudana la dévisagea stupidement. Elle ne comprenait pas.

– Il chantait ! s'énerva Siki-Siki. Quoi ? Une complainte ? Un chant guerrier ? Une histoire d'amour ?

– Oh, ça ! Une mélodie douce… Des paroles un peu bizarres comme dans ces poèmes pleins de mots que personne ne connaît !

– Soyez plus précise, la pria Karzel.

– Il y a si longtemps ! Comment voulez-vous que… Je crois qu'il était question de quelqu'un qui chevauchait la brume.

Siki-Siki fronça les sourcils. N'avait-elle pas déjà entendu ça ?

– Et de lanterne ! s'écria Loudana, soudain inspirée. Ou de lampe… Ou de luminaire…

Le Horrigan échangea un regard avec Siki-Siki.

– Et ces mots étranges, demanda Karzel, est-ce que ça pourrait être «frélampier» ou «lampadéphore»?

– Non, répondit Loudana. Un luminaire qui chevauche la brume! Voilà, c'est ça! Enfin... quelque chose comme ça.

– Et il faisait quoi, ce personnage? insista Siki-Siki.

– Rien. Le reste, je vous ai dit, c'était de la poésie. Avec un amandier qui pousse malgré le froid et la neige, des terres arides qui fleurissent grâce un petit papillon et des étoiles qui brillent dans le ciel! Vous voyez le genre!

– Des étoiles? répéta Siki-Siki. Ou une seule?

– Une? Je ne pense pas. Pfuit! Vous me fatiguez! Et pis je suis gelée! Attendez... hum... Non, deux.

– Deux?

– «La grande étoile à l'obscure clarté.» Oui, c'est ça! Et l'autre... «L'astre créateur des aurores paisibles.»

Loudana s'étonnait de se souvenir d'une chanson à laquelle elle n'avait pas songé depuis tant d'années. Elle s'engagea à leur rapporter tout ce qui lui reviendrait en mémoire. Mais elle craignait d'être chassée de la forteresse si les Vénérables apprenaient qu'elle les avait abusés. Karzel lui promit qu'elle n'avait pas à s'inquiéter. Il lui recommanda de garder leur conversation secrète par précaution.

– Gris-Corbin, avertit Siki-Siki.

En effet, le Frère Guerrier venait à leur rencontre. Les Vénérables, semblait-il, avaient pris leur décision.

*
* *

Tiercefeuille prit comme une injure personnelle d'être tenu à l'écart. Copiraille resta intraitable : pas de soldatesque dans sa bibliothèque ! Les Horrigans étaient des Maîtres Sorciers, ils avaient le droit d'entrer. Quant à Siki-Siki, il fallait bien l'accepter. L'unique exemplaire des *Actes* de Gravatte ne quittait jamais les lieux. C'était une des règles immuables de Lur.

Le gros livre rouge trônait au centre de la table. Même Karzel était ému. Dystar toussota pour réclamer l'attention.

– Je suis toujours sceptique, dit-il. Cependant, je me rends aux arguments de Froideneige. Nous ne risquons rien à tenter l'expérience. Asseyez-vous, jeune fille. Et faites ce que vous croyez devoir faire.

– Je vous remercie, Vénérable. J'espère ne pas vous décevoir !

Le silence se fit lorsque Siki-Siki s'installa sur le banc. Un peu intimidée, elle souleva la couverture. Et ne put retenir une exclamation de surprise.

– Qu'est-ce que c'est ?

– À vous de nous l'expliquer ! rétorqua Copiraille.

Les Horrigans se rapprochèrent pour regarder.

– Voilà un curieux dessin ! remarqua Méd'hor. Enfin, si on peut appeler ça un dessin...

Des lignes verticales et horizontales se croisaient sur la feuille. Elles étaient numérotées de un à quatorze, dans un apparent désordre. Siki-Siki se sentit transportée dans un vertige. Elle n'était plus là. Ses mains s'agitèrent dans l'air. Réksopié demanda à mi-voix ce qui se passait. La surdité de Mirz'ha ne l'empêchait pas d'avoir l'esprit vif. Il comprit avant les autres.

– Elle manipule la serrure de la tour d'Est !

Siki-Siki sursauta violemment comme si on l'avait tirée d'un rêve.

– Oui, oui ! s'écria-t-elle. Vous avez raison, Maître Mirz'ha. Prenez cette ligne-ci. Elle représente le premier poussoir en haut à gauche. Mais le chiffre indique qu'il faut l'enclencher en troisième position ! Cette autre verticale porte le numéro six noté en bas : c'est un des cadenas du dessous. Les lignes horizontales ont toutes des chiffres sur le côté droit. C'est logique, car le verrou se trouve à gauche, où il ne peut y avoir aucun poussoir.

– C'est donc la combinaison qui ouvre la porte, supposa Karzel.

– Non, pas du tout ! répondit Siki-Siki, au comble de l'excitation. Ce n'est pas le bon ordre ! C'est quelque chose d'autre !

– Vous vous basez sur une vision, dit Dystar. Vous pouvez vous tromper.

– Je ne me trompe pas, Vénérable. Je suis entrée dans la tour, la nuit dernière.

– Quoi ? hurla Copiraille. On vous l'avait interdit !

– Les Honorables m'ont invitée. Pardonnez-moi de vous l'avoir caché. J'avais besoin de réfléchir à ce que j'ai découvert là-bas.

Siki-Siki raconta comment elle avait été guidée dans le noir par un être invisible. Elle décrivit l'étoile à huit branches apparue dans les rais de lumière. Puis hésita.

– Il n'y a pas que ça, n'est-ce pas ? devina Karzel.

– C'est exact, admit Siki-Siki. J'ai eu très peur à cause de… de ce qu'il y avait dans le mur.

Elle se couvrit un instant le visage et frissonna. Puis regarda Froideneige.

– Je crois que j'ai fait une erreur. Les Anciens ont peut-être bien commis des crimes dans la tour d'Est. En tout cas, je suis sûre que les Honorables hantent la forteresse. Parce qu'elles sont toujours là… emmurées dans la tour !

– Emm… emmurées ? balbutia Méd'hor.

Siki-Siki acquiesça.

Elle avait vu les dalles scellées, chacune portant des inscriptions en dialecte ancien, le nom peut-être de celle qui reposait derrière. Elle n'avait pas pu les compter précisément. Elle estimait qu'il y en avait au moins une centaine car les dalles montaient jusqu'au plafond, très haut à cet endroit. Dystar objecta que des cercueils n'avaient pas forcément été déposés là. Il pouvait s'agir de simples plaques commémoratives. En effet, personne n'avait jamais retrouvé les tombes des Anciens. Ceux-ci avaient une conception très personnelle de la mort : ce qui venait du chaos devait y retourner. Le corps n'était qu'une enveloppe vide une fois que l'esprit avait rejoint le chaos. On supposait que leurs cadavres étaient abandonnés dans la nature pour y être dévorés par les animaux.

– J'ai été saisie par la terreur, répondit Siki-Siki. Vous ne pouvez pas imaginer… Les dernières Honorables n'ont jamais quitté Lur. Et je vous jure que leurs âmes ne sont pas en paix !

– Quoi qu'il en soit, dit Ilex Minor, ça n'explique pas ce schéma dans les *Actes*. Si ce n'est pas la combinaison de la porte, qu'est-ce que c'est ?

– Pour le savoir, il faut essayer, remarqua Karzel. Si le Grand Maître veut l'autoriser…

Copiraille s'apprêtait à protester mais fut pris de vitesse par Froideneige.

– Comme Siki-Siki s'est déjà rendue dans la tour d'Est, ça n'a plus de sens de le lui interdire !

Dystar, à la grande surprise de l'assemblée, approuva. Il y mit une condition : lui seul accompagnerait Siki-Siki. Celle-ci accepta aussitôt, de crainte qu'il ne changeât d'avis.

– Hé ! s'exclama Copiraille. Attendez un peu ! Vous ne pouvez pas emmener le livre avec vous ! C'est la loi !

Karzel suggéra de recopier le dessin sur un morceau de parchemin. Le Devin Supérieur offrit ses services. Il était très habile pour tracer des droites…

Le plus important était de respecter la numérotation. On vérifia plusieurs fois le report des chiffres, puis Siki-Siki et Dystar sortirent de la bibliothèque.

Au pied de l'escalier est, Siki-Siki se mit à trembler. Elle n'avait pas envie de remonter là-haut. Dystar s'aperçut de son trouble et eut à son égard un geste amical : il la prit par l'épaule.

– Je suis avec vous. Je comprends maintenant que tout cela est difficile pour une jeune fille de votre âge.

– Merci. J'apprécie votre soutien, Vénérable. Et, heu, je tiens à m'excuser pour mon comportement. Je suis parfois un peu…

– Excessive ?

Siki-Siki se mit à rire et se sentit beaucoup mieux.

– Je pensais à : effrontée ! J'ai un bon fond, cependant.

– Je n'en doute pas, répondit Dystar en faisant l'effort d'un sourire. Allez, courage ! Il nous faut monter.

L'ascension parut longue à Siki-Siki. Elle n'avait pas le souvenir d'autant de marches. En fait, la tour n'était pas construite de la même manière que sa jumelle d'Ouest. Elle ne comportait qu'un seul étage, ce qui expliquait la hauteur exceptionnelle de l'unique pièce. L'escalier, assez large, était perpétuellement plongé dans l'obscurité car il n'y avait aucune lucarne.

À la lueur de la lanterne que portait Dystar, Siki-Siki examina le schéma. Puis elle enclencha le poussoir numéro un. Et ainsi de suite jusqu'au quatorzième. Un claquement sonore annonça que la manipulation avait actionné un mécanisme. Siki-Siki poussa un petit cri : quelque chose venait de lui tomber sur le pied !

– Oh ! Regardez, Vénérable ! Il y avait ce... cette... quoi donc ? caché dans la serrure !

Elle se pencha et ramassa une feuille de métal rigide. La plaque était percée, d'une manière apparemment aléatoire, de trous plus ou moins grands.

– Nous voilà bien avancés, grommela Dystar.

– Ça doit quand même avoir une utilité, répondit Siki-Siki en tournant l'objet de tous les côtés. Gravatte n'a pas mis la combinaison dans les *Actes* sans raison. Oh ! Et si... Vénérable, je crois avoir deviné ! Venez vite !

Dystar protesta que ses vieilles jambes ne lui permettaient pas de dévaler les escaliers. Il descendit à son rythme. Siki-Siki eut la politesse d'attendre malgré son impatience. Elle refusa de lui faire part de son idée. Elle voulait être sûre de ne pas se tromper.

Ils trouvèrent les Maîtres Sorciers en pleine discussion au sujet de l'étoile à huit branches. Copiraille était perché sur son échelle à la recherche de documents. La conversation s'interrompit aussitôt.

– Voilà ce que nous a délivré la serrure, dit Siki-Siki en leur montrant le rectangle de métal.

Elle s'assit sur le banc et contempla le livre toujours ouvert sur le dessin, puis tourna la page. Elle découvrit l'écriture ample et ronde de son ancêtre et ressentit une vive émotion.

– Pouvez-vous déchiffrer le texte? demanda Dystar. Des générations de Sorciers ont tenté, en vain, d'y parvenir!

– Et pour cause, répondit Siki-Siki. Il ne signifie rien!

– Quoi? s'exclama Copiraille. Avouez plutôt que vous êtes incapable de le lire!

– Permettez, Vénérable, que j'exprime ma pensée. Ce livre est très gros et très plein... de phrases qui n'ont pas le moindre sens! N'est-ce pas évident? Gravatte a dissimulé son message au milieu d'une telle abondance de mots qu'il est impossible de le repérer! À moins de posséder la clé...

Siki-Siki exhiba la plaque et la posa sur la page.

– Même forme, mêmes dimensions, constata-t-elle. Là, je vois que certains trous tombent sur des espaces vides. Essayons en inversant le haut et le bas. Hum… pas mieux. Retournons-la… Il me semble que c'est bon !

– Ce n'est pas plus compréhensible pour autant, remarqua Froideneige.

Siki-Siki feuilleta au hasard pour vérifier que chaque trou révélait systématiquement un ou plusieurs mots. Gravatte avait dû passer des mois à écrire les *Actes* !

– Il faut tout noter, soupira-t-elle. Ça risque d'être long…

– Et après ? grommela Copiraille. Ça ne voudra toujours rien dire !

Siki-Siki avait placé la plaque sur une des dernières pages. Elle se raidit et écarquilla les yeux. Son visage avait pris un teint de cire verdâtre. Elle n'entendit pas la voix de Karzel qui s'inquiétait de son apparence subite.

– Elles l'ont fait exprès… murmura-t-elle.

– Quoi ? fit Karzel. De quoi parlez-vous ?

Siki-Siki passa une main tremblante sur son front et cligna plusieurs fois des paupières.

Puis elle regarda Dystar.

– J'ai cru... J'ai cru que les Vénérables Anciens étaient les seuls coupables.

– Et c'est faux? demanda le Grand Maître.

– Pas tout à fait. Ils voulaient le pouvoir, c'est vrai. Mais... ce sont les Honorables qui ont provoqué la disparition du Langage!

– Comment ça? s'étonna Ilex Minor.

– Oh! gémit Siki-Siki. Voilà quels sont, en réalité et littéralement, les *Actes* de Gravatte! Elle a fabriqué le poison qui les a toutes tuées! Les Honorables savaient que le Langage ne leur survivrait pas! Elles se sont suicidées par vengeance!

– Quelle horreur! s'écria Méd'hor. Êtes-vous sûre?

– C'est écrit là, répondit Siki-Siki.

– Écrit? répéta Dystar. C'est donc que vous pouvez lire le texte!

– Ce n'est pas ça, expliqua-t-elle. J'ignore le sens des mots et même s'ils en ont un... C'est la grille qui révèle leur signification comme si une porte dans une pièce sombre s'ouvrait brusquement sur la lumière.

– Alors il vous est possible de déchiffrer l'intégralité des *Actes*, supposa Karzel.

Siki-Siki acquiesça lentement et réclama papier et encre. Froideneige s'empressa de les lui fournir. Et, pour une fois, Copiraille ne fit aucun commentaire désobligeant.

Chapitre 5
À Damalone

La prairie ondoyait sous le vent, semblable à une mer jaune. Elle était couverte de fleurs : des pâquerettes, des tussilages et des pissenlits. Damalone, sans nul doute, bénéficiait d'un climat des plus cléments.

Le Singulier n'était guère sensible à la beauté du lieu. Il éternuait sans cesse et se plaignait beaucoup. Pour une raison inconnue, Prunelle s'était pris d'amitié pour Chéramie et il l'acceptait sur son dos. Le Singulier en voulait à l'âne.

Finn reconnut le paysage où serpentait une rivière calme, alimentée par les pluies hivernales. En été, ce n'était qu'un maigre ruisseau. Bientôt, la fonte des neiges sur les lointaines collines la transformerait en torrent.

– Si je ne m'abuse, il y a un village à une demi-journée de marche.

Chéramie lui répondit affirmativement. Là comme ailleurs, la Garde incarnate avait sévi. Il ne restait plus que des épouses malheureuses et des enfants sans père. Finn plissa les paupières, à l'écoute de son âme. Ni la haine ni la colère ne régissaient le Lampadéphore. En un sens, c'était plus perturbant que de vivre avec le Frélampier. C'était aussi plus intéressant. Finn avait hâte de voir comment ce nouveau double de lui-même allait régler les problèmes.

Vers la fin de l'après-midi, ils arrivèrent aux abords du hameau. Finn constata avec tristesse que la cheminée de la fabrique de pots ne fumait pas.

– Où sont les gens? demanda le Singulier. Atchaaaa! Saleté de rhume...

– Je ne sais pas. Il y en avait encore quand je suis passé. Peut-être se sont-ils réfugiés en ville. Les enclos sont vides. Ils ont emmené leurs bêtes. Enfin, celles que l'armée ne leur a pas volées...

– Ah bon? s'étonna Finn. La Garde a fait ça?

– Pour nourrir les soldats, précisa Chéramie, la mine sombre. Ils ont pris nos affaires. Et ils ont osé casser nos pots!

– Affreux, affirma Finn. Ça mérite le pire des châtiments.

Chéramie n'entendit pas l'ironie dans sa voix et approuva. Le Singulier émit un bruit disgracieux, entre le reniflement et le ricanement.

Ils s'installèrent pour la nuit dans une ferme abandonnée. Les étoiles filantes apparurent dès le crépuscule. Fallait-il en déduire qu'elles accompagnaient le Lampadéphore ? Ou ce mystérieux phénomène avait-il une autre explication ?

Épuisé, Chéramie s'endormit sitôt le repas avalé. Le Singulier réclama une potion qui le soigne. Pour le faire taire, Finn concocta une tisane de tilleul, de camomille et de sureau noir. Il la partagea avec le nain car celui-ci, soudain méfiant, le soupçonnait de vouloir l'empoisonner. Le breuvage se révéla efficace. Le Singulier sombra dans un profond sommeil et ronfla jusqu'au lendemain.

Le premier debout, Finn contempla la montée du soleil au travers des brumes matinales. Un observateur attentif pouvait encore apercevoir les étoiles parcourir le ciel. Ainsi donc, elles ne disparaissaient pas avec le jour. Il était juste plus difficile de les remarquer dans la lumière.

Le Singulier commença à maugréer dès son réveil. Il avait mal jusqu'aux doigts de pied, son nez n'en finissait pas de couler, la croupe de la jument était trop large pour ses petites jambes et Chéramie avait mangé toutes les saucisses !

– Je crois me souvenir d'une incantation qui rend muet, dit Finn en le regardant fixement.

Le Singulier le traita de fiente de corbeau puis se tint coi.

*
* *

Les rues de la ville étaient envahies par les vaches, les cochons, les oies, les moutons, les chèvres et les pintades. Le Singulier se réjouit du spectacle, tout autant que Finn. Les habitants avaient, certes, déserté la campagne mais ils ne risquaient pas de mourir de faim.

Une horde de filles et d'enfants surgit de la maison de Patriarche et se jeta sur Chéramie. Les tantes et les cousines de celui-ci pleuraient et remerciaient la Toute-Puissance céleste d'avoir ramené le garçon sain et sauf.

– J'ai trouvé Maître Finn, annonça Chéramie. Il va tout arranger.

On s'inclina devant le grand Sorcier. Les plus timides se contentaient de caresser l'âne et la jument. Les plus hardis cherchaient à toucher un pan de la pelisse de Finn. Tout le monde se tenait à l'écart du nain, qui faisait peur.

Finn cacha son embarras en bénissant la foule qui s'agglutinait dans la cour carrée. Il lui fut difficile de se frayer un chemin jusqu'à la demeure. Et même à l'intérieur, les gens le suivaient. Chéramie était fier d'avoir ramené Finn et il jouait les chefs de famille en donnant des ordres aux uns et aux autres.

Puis quelqu'un posa la question redoutée.

– Qu'allez-vous faire, Maître ?

Le vacarme s'arrêta aussitôt. Dans le silence, un bébé se mit à brailler. Finn sourit à la mère consternée qui le berçait dans ses bras. Le Lampadéphore, que rien ne pouvait atteindre, s'empara de lui.

Finn monta sur l'imposante table de banquet.

– Mes amis ! déclara-t-il. Soyez sans crainte ! Je fais le serment de vous ramener ceux qui vous ont été arrachés par la force ! Mais que vois-je ici ? Des animaux errant à leur guise ? Des fermes vides ? Des terres laissées à l'abandon ? Des fabriques inactives ? Qu'attendez-vous pour reprendre le travail ?

– Nous ne sommes que des femmes !

– Et alors ? En quoi ça vous empêche de garder vos bêtes ? Ou de labourer le sol pour les futures semences ? Ou de faire des pots ?

– Nous ne savons pas comment nous y prendre !

– Qui ira chercher l'argile ?

– Qui peut allumer les fours ?

– Qui peut manier les tours ?

Finn éleva la main et reprit la parole.

– Une chose après l'autre ! Fermières, rentrez chez vous. Je suis sûr que vous êtes capables de vous occuper de vos chèvres et de vos oies ! De faire du vin de fleurs de tussilage ! De récolter de la mâche doucette et du pissenlit ! Et même de manier la charrue !

– Ça, c'est vrai ! Mon époux, il se contente de dire : fais ci, fais ça, en restant le cul sur une chaise !

La remarque déclencha des rires. Finn approuva et ajouta que les femmes accomplissaient déjà les tâches les plus dures sans s'en apercevoir. Elles n'avaient guère besoin d'un mari pour les commander !

– Et les pots ? demanda une des tantes de Chéramie. Nous n'y connaissons rien !

Un vieillard se redressa, les yeux brillants.

– J'étais potier dans mon jeune temps ! Hélas, je tremble trop maintenant. Mais je peux vous indiquer où ramasser l'argile ! Je peux surveiller la cuisson ! Je peux vous apprendre !

– Eh bien, voilà ! s'exclama Finn. Il suffit de vous organiser !

– Je ne suis pas d'accord ! protesta un vieux grincheux. Les pots sont l'affaire des hommes !

– Dans ce cas, faites autre chose que des pots.

Un murmure sidéré parcourut l'assemblée. Quoi ? Autre chose ?

– Vous fabriquez aussi de magnifiques carrelages, poursuivit Finn. Faites preuve d'imagination !

– J'ai toujours voulu un petit lapin en porcelaine, geignit une fillette.

– Je me suis souvent distraite en sculptant des vaches dans un morceau de bois, dit une Chérama.

– Moi, quand j'étais môme, je façonnais des tas d'objets avec de la boue argileuse. Je n'avais pas le droit de les mettre au four pour qu'ils durcissent. Je pleurais quand ils se cassaient.

– C'est moi qui ai fait l'enseigne en fer-blanc de l'auberge des Quatre Dragons ! Elle représente, heu… quatre dragons.

Des exclamations enthousiastes fusèrent de toutes parts. Ce n'étaient pas les idées qui manquaient.

– J'adorerais faire des oies ! J'en élève !

– Oh oui ! Des familles d'oies avec les parents et les bébés à la queue leu leu !

– Et des maisons ? On pourrait en modeler de différentes tailles et faire des villages miniatures !

– Pourquoi pas des fermes ? Avec les bêtes !

Des enfants sautèrent sur place en battant des mains. Ils pourraient jouer avec ! Parce qu'il fallait le reconnaître : les pots n'avaient rien de drôle.

– Des poissons multicolores ! Des bouquets de fleurs !

– Des statues de femmes à poil avec de gros…

Tout le monde se tourna vers le Singulier, qui s'interrompit brusquement. Il ouvrit grand les bras en haussant les épaules.

– Ben quoi ? fit-il.

Le grincheux opina de la tête, les sourcils froncés.

– Tiens oui… ça me plairait assez, ça, des statuettes de femmes nues avec de gros…

Une des nombreuses sœurs de Patriarche réclama le silence en tapant sur la table.

– Avez-vous perdu la raison ? Ce n'est pas le moment de rire alors que nos hommes sont partis se faire tuer !

– Il n'y a pas de mal à rire, répondit Finn. Cela, d'ailleurs, n'est pas une plaisanterie. Vous avez laissé le comté à l'abandon. Vous devez reprendre vos activités, les développer même ! C'est le combat que vous devez mener. Et je vous jure qu'aucun habitant de Damalone ne périra à la guerre. J'en fais mon affaire.

Il ne se trouva personne pour mettre sa parole en doute.

*
* *

Le jour suivant se leva sur une ville bourdonnante comme une ruche. Les uns rassemblaient les animaux, les autres ouvraient les tavernes et les boutiques et les derniers se présentaient déjà aux portes des fabriques.

La veille, Finn avait appris que la Garde incarnate n'avait pas pu enrôler les Chéramie qui vivaient dans les hameaux isolés. Il y avait donc encore quelques solides gaillards pour labourer les champs. Le printemps, précoce dans la région, était la période où l'on préparait la terre pour l'ensemencer. À Damalone, l'usage était d'aider son voisin. On pouvait compter sur les rescapés pour seconder les femmes seules dans les travaux les plus durs.

Finn découvrit aussi que bon nombre de très jeunes gens s'étaient cachés. Grâce à eux, un individu originaire d'Hibah avait pu échapper à la Garde.

L'étranger intéressait Finn à plus d'un titre. Par chance, il était bavard. Il raconta volontiers la mort de Sambuc et le retour d'Acer avec l'armée. Il sourit en relatant les affrontements entre les Princes qui aspiraient tous au rang de Premier Dignitaire. Mais la place n'était pas vacante. Sa Splendeur dirigeait toujours le Conseil, du fond de son cercueil ! En effet, tant qu'il n'était pas enterré, Sambuc ne pouvait pas être remplacé. Ses deux filles avaient convaincu le Grand Orfèvre Nahn de construire un mausolée pour leur père. Ce qui expliquait pourquoi l'homme était à Damalone : il était venu passer commande de cinq cents dalles bleues et blanches pour le monument. Il n'avait pas hâte de rentrer, maintenant qu'il savait qu'Ulcamar allait attaquer son comté ! Non, vraiment, il n'était pas pressé...

– Connaissez-vous personnellement la princesse Mélipona ? demanda Finn.

– Je suis au service des architectes, vous savez. Je ne fréquente pas les personnages importants ! Pourquoi ?

– J'ai eu le privilège de la rencontrer. J'ai gardé d'elle un excellent souvenir d'elle.

– Oh, je comprends ! Mélipona est aimée de tous ! Elle est très bonne avec les pauvres et les malheureux. Enfin, quand je dis que tout le monde l'aime… À mon avis, le Conseil entier la déteste !

Finn fut surpris de le voir serrer les poings.

– Et moi, je hais le Conseil ! Je ne voudrais pas être indiscret mais… si je ne me trompe pas, vous êtes un Maître Sorcier ? Les Chéramie ont l'air persuadés que votre magie va arrêter la guerre.

– C'est mon intention. Vous avez dû entendre, à Hibah, que les Sorciers n'avaient plus aucun pouvoir. Non ?

– Si. Ça m'est égal, ce que prétendent les Princes ! Alors, si jamais vous avez l'occasion, pourriez-vous nous débarrasser d'eux ?

– Ce sera avec plaisir, affirma Finn.

L'occasion ne manquerait sûrement pas de se présenter. Tout en discutant, Finn et l'étranger visitaient l'atelier des carreleurs. Faute d'artisans, le travail était à l'arrêt. Finn reconnut l'ancien potier qui expliquait à des jeunes filles fort attentives l'art et la manière de fabriquer des dalles. La commande pour le mausolée de Sambuc était le sujet de la leçon.

– Je ne sais pas si je vais retourner à Hibah. J'ai un emploi, certes. Il ne me satisfait guère. Je voudrais me mettre à mon compte. J'ai eu une idée, ce matin, dans la fabrique de Patriarche.

Finn manifesta un intérêt poli. Ses pensées étaient ailleurs. Il songeait à Mélipona. Ce qu'il venait d'apprendre le perturbait. La Princesse était-elle en danger ? Avait-elle des ennemis au sein même de son palais ? Tout à coup, Finn sursauta. L'étranger venait de dire quelque chose d'inattendu.

– Pardonnez-moi, je n'ai pas saisi... De quoi parliez-vous ?

– Des bibelots en porcelaine. Je suis sûr que je pourrais en faire commerce.

– Non, pas ça. Vous avez mentionné un nom...

– Ah oui ! C'était une blague ! Je me demandais si une statuette du Vidame aurait du succès à Hibah !

– Larix Vibur ? Pourquoi lui ?

– Oh... Ce sinistre personnage est l'invité d'Acer. Plutôt bizarre puisque le Conseil a décrété que les Maîtres Sorciers étaient des charlatans !

– Quelle est la position du Baron de T'Noor ? A-t-il pris parti pour Hibah ou Ulcamar ?

L'étranger avoua ignorer si Galin'saga s'était rallié aux Princes. Il n'avait rien entendu à ce propos.

Ainsi donc, le Vidame n'était plus à la baronnie. Le Baron disposait d'une garde armée. Les Trabans étaient de véritables soldats, quoique peu nombreux.

Mais une troupe bien entraînée valait une armée de paysans, surtout quand ceux-ci n'étaient pas volontaires !

Larix Vibur parti, Finn avait les coudées franches. Si Galin'saga n'était pas encore entré dans le conflit, il y avait peut-être un moyen de le convaincre de choisir… un troisième camp ! Finn espérait pouvoir compter sur l'appui de Siki-Siki. Il ne savait pas que son amie était à Lur, où il l'aurait retrouvée si le destin ne l'avait pas conduit à Damalone.

Leur promenade les ramena vers la maison de Patriarche. Finn suivit son compagnon qui insistait pour avoir son avis sur les nouvelles créations des Chéramie.

En passant la grande porte de la fabrique, Finn crut être victime d'une hallucination.

– Ce… c'est pas possible ! bégaya-t-il. Ils n'ont pas pu faire tout ça en une journée !

Une multitude d'objets variés séchaient sur les étagères. Le vieux grincheux, désormais d'excellente humeur, accourut en apercevant Finn.

– Ah, Maître ! Ne vous fiez pas à ce que vous voyez là ! Le matériau est brut ! Il faudra pas moins de trois cuissons pour les glaçures et les couleurs !

– Votre inventivité est sans bornes, constata Finn. Les oies sont très réussies. Et ça... Non! Ce n'est pas mon âne?

– Ah si! Le Prunelle fait la joie des enfants! Et nous en avons un de ces choix! Voilà le Prunelle avec ses sacoches, le Prunelle qui broute, le Prunelle qui trotte, le Prunelle à l'oreille sur le côté, le...

– J'aime beaucoup le Prunelle qui fume le narguilé, dit l'étranger en se frottant les mains.

Il imaginait déjà les besants dans sa poche.

– Il fait partie des Prunelle humoristiques. Nous avons aussi le Prunelle avec le chapeau de paille, celui qui se gratte avec la patte arrière, le Prunelle qui fait une ruade. Heu... Vous n'êtes pas offensé, Maître?

Finn pleurait de rire devant les délirants petits ânes. Il s'essuya les yeux et reprit un semblant de sérieux.

– Ne serait-ce pas Prunelle jouant à la rosette? Avec le Singulier! C'est lui qui vous l'a suggéré?

– En effet, Maître. Du coup, on l'a pris pour modèle. Là-bas. On a une série de nains.

– Presque aussi laids que le vrai! Compliments! Tiens, au fait... Où se cache-t-il, le vilain gnome? Hum... c'est l'heure du dîner, il ne devrait pas être difficile à trouver. Qu'il en profite. Nous reprendrons la route dès l'aube.

Le vieil homme s'assombrit. Finn le rassura. Bientôt, tous les Chéramie seraient de retour pour fabriquer des pots… ou des Prunelle.

Chapitre 6
Les Actes *enfin révélés*

Siki-Siki frissonna. Elle était épuisée. Sa main tremblante reposa la plume sur le bord de l'encrier. Elle avait passé la journée à déchiffrer une bonne moitié des *Actes* de Gravatte. Elle s'était aperçue, heureusement à temps, qu'une page une fois lue ne pouvait l'être de nouveau. Elle était donc contrainte d'écrire aussitôt ce que lui révélait la grille de métal.

Maître Copiraille et Karzel lui avaient tenu compagnie pendant toutes ses longues heures. Ils étaient eux-mêmes fort occupés à chercher dans les ouvrages de l'immense bibliothèque une quelconque référence à l'étoile à huit branches.

– Vous avez des informations intéressantes ? demanda Karzel, perché sur l'échelle.

– Là est la question, répondit Siki-Siki d'une voix lasse. Gravatte en raconte des choses, ça c'est sûr ! Je vous avoue que les *Chroniques de Lur* revues et corrigées par mon ancêtre commencent à m'ennuyer…

– En dépit de ce que vous en pensez, remarqua Copiraille, c'est passionnant. Nous avons ici une version tout à fait nouvelle d'un texte fondamental.

– Par « nouvelle », je suppose que vous voulez dire « non censurée » ?

– Ce n'est pas ainsi qu'il faut considérer le récit. Gravatte donne des précisions inédites.

Le Maître Bibliothécaire s'empara des parchemins sur la table.

– Par exemple, à propos du Vénérable Caumonas.

– Honorable, rectifia Siki-Siki.

– Heu, oui… Je n'arrive pas à m'y faire. Enfin, ça va dans mon sens : on constate que les rédacteurs des *Chroniques* telles que nous les connaissions s'étaient permis de prendre des libertés avec la réalité. Notamment, je vous l'accorde, en changeant Honorable par Vénérable. Les Anciens se sont appliqués à faire disparaître toutes mentions des femmes Sorciers. Cela prouve la pertinence de vos affirmations.

– Merci, sourit Siki-Siki.

– Pas de quoi. Donc, on lit ici que Caumonas a livré de terribles combats contre des créatures en tout genre dans des contrées dangereuses. Ça, c'est l'histoire traditionnelle. En revanche, on ignorait qu'il… qu'elle s'était aventurée jusqu'à des collines de sable où il… elle avait rencontré des monstres à deux têtes qui vivaient dans des galeries souterraines. Vraiment fascinant.

– Au moins, il y en a un de content, soupira Siki-Siki. Je suis, pour ma part, un peu déçue. J'espérais trouver de l'aide là-dedans !

– Ne vous découragez pas. Vous n'avez pas fini.

– C'est bien ça qui me décourage !

Karzel lui conseilla de prendre du repos. Mais Siki-Siki craignait de s'arrêter. Elle sentait la fragilité de la magie liée à la grille. Les *Actes* redevenaient illisibles au fur et à mesure qu'elle avançait. Comment être sûre qu'elle pourrait reprendre la lecture si elle l'interrompait trop longtemps ?

– J'ai faim, déclara-t-elle.

– Pas de nourriture dans ma bibliothèque ! protesta Copiraille.

– Allons, Maître, intervint Karzel.

– Bon, d'accord. À condition qu'il n'y ait aucun liquide qui risque de se répandre sur mes manuscrits ! Ouh… Mes yeux me font mal. Je vais demander à Froideneige de me concocter une potion.

– Excellente idée ! approuva le Horrigan. Froideneige pourrait préparer une tisane pour nous tenir éveillés !

Copiraille partit sur-le-champ à la recherche de l'herboriste. Siki-Siki prit un morceau de parchemin vierge et trempa la plume dans l'encre. Puis elle plaça le rectangle de métal sur la page. Et poussa une exclamation ravie.

– Enfin ! C'est la prophétie ! *« Le Lampadéphore surgira porté par la brume, son destin est de changer les choses. Le Lampadéphore divisera le temps en deux et tout sera bouleversé. »* Identique à celle découverte par Mélipona ! Mais... Morte corne ! Le luminaire qui chevauche la brume ! Karzel ! La jument !

– Quelle jument ?

– Celle de Finn ! Elle s'appelle, vous n'allez pas le croire, elle s'appelle Brume !

– Curieuse coïncidence, en effet. Il est évident que la chanson du père de Finn est à double sens. Le papillon, les étoiles... La poésie ne sert qu'à cacher un message autrement important. Et si ce personnage mystérieux a chanté devant Loudana, c'était pour qu'un jour elle s'en souvienne.

– Il aurait dû s'adresser à quelqu'un de moins stupide.

– Je suis persuadé qu'il n'aurait pas agi ainsi sans raison. Ne voyez-vous pas ? Il savait déjà tout.

– Qui est-ce donc ?

– Nous ne pouvons pas exclure Miricaï.

– Je vous jure que si, répondit Siki-Siki.

– Même Kuzu Dambar a pu commettre une erreur. À moins que vous n'ayez oublié de me dire quelque chose ?

– Ça, non. Je n'ai rien oublié.

– Mouais... Vous avez choisi de vous taire. J'espère que vous avez réfléchi avant de prendre cette décision.

– Inutile, affirma Siki-Siki. J'obéis, c'est tout.

– À qui ? Kuzu Dambar ?

Elle acquiesça. Leur conversation tourna court. Dystar, Ilex Minor et les Horrigans arrivaient.

*
* *

La nuit raviva les étoiles filantes. Personne ne s'en aperçut, car les volets n'étaient jamais ouverts dans la bibliothèque. Siki-Siki avait fini. Elle somnolait à moitié, effondrée sur la table. La dernière partie des *Actes* relatait la vie des Honorables dans la tour d'Est. Il n'y avait rien de plus que la confirmation des visions de Siki-Siki. Réksopié lisait, les sourcils froncés.

– Ce sont les *Chroniques de Lur,* il me semble, dit-il.

Copiraille soupira. Même le patient Méd'hor eut une mimique d'impatience. Il se reprit et posa une main sur l'épaule de son compagnon.

– Oui, mon ami. C'est la troisième fois depuis hier que tu fais cette remarque. Et je vais t'expliquer… encore.

Siki-Siki se redressa brusquement.

– C'est ça !

– Pardon ? fit Dystar.

– Je ne pense pas me tromper en supposant que Gravatte s'est contentée de recopier quelques petits bouts de chapitres.

– En effet. Les *Chroniques* sont composées de trois énormes volumes !

– D'après Maître Copiraille, Gravatte a fait des rectificatifs et des ajouts. Très peu, en réalité. Alors, je vous pose la question : pourquoi s'être donné autant de mal pour cacher un récit qui ne nous apprend pas grand-chose ?

– Où voulez-vous en venir ? demanda Ilex Minor

– Mon honorable ancêtre avait un esprit des plus retors, je le crains !

Elle agita le rectangle de métal en souriant.

– Voici la clé des *Actes*... D'où vient-elle ? De la serrure multiple de la tour d'Est. Ça vous inspire ? Non ? Moi, oui ! Il y a un deuxième verrou dans le texte !

Les Sorciers gardèrent un silence interloqué. Siki-Siki s'énerva.

– C'est pourtant clair ! Les trous de la plaque permettent de trouver les bons mots. Le texte, c'est pareil ! Il faut le considérer comme une autre grille de lecture. Et notre clé, ce sont les *Chroniques de Lur !* Il faut relever tout ce qui a été changé et l'isoler du reste. Et nous aurons le vrai message de Gravatte. Du moins, je l'espère !

– Désolé de ne pas manifester plus d'enthousiasme, maugréa Dystar. Nos *Chroniques* ne sont pas celles rédigées à l'époque de Gravatte. C'est une traduction du dialecte ancien. Rien ne prouve qu'elle soit fidèle au mot près !

– Il est vrai que nous devons l'envisager, admit Ilex Minor.

– Vous êtes déprimants ! s'exclama Froideneige. Tenez, moi, je prends ce tas-là et je le vérifie. Heureusement que Siki-Siki a songé à numéroter toutes ses feuilles... Allez, allez! Tout le monde s'y met!

– Pour une fois, je suis d'accord avec vous, approuva Copiraille. Maîtres, nous sommes devant une découverte primordiale, allons-nous baisser les bras si près du but? Nous avons étudié ces livres des années durant. Qui peut les connaître mieux que nous?

– Soit, répondit Dystar. Souhaitons ne pas être déçus...

Karzel suggéra à Siki-Siki d'aller se coucher. Elle refusa malgré son état de fatigue. Néanmoins, elle laissa la place et s'étendit sur le sol pour se reposer. Elle s'endormit presque aussitôt.

Les Sorciers s'attelèrent à la tâche. Ils parlaient un peu au début. Puis ils se turent. Le travail exigeait une intense concentration. Il fallait traquer le moindre petit adjectif, la plus légère différence de termes. Il apparut vite que Gravatte s'était effectivement livrée à un drôle d'exercice.

Plusieurs heures s'écoulèrent. Les yeux de Copiraille larmoyaient. Les vieux Horrigans souffraient de la dureté du banc. Froideneige essayait de soulager les uns et les autres avec ses drogues. La nourriture étant sans nul doute le meilleur des remèdes, ils mangèrent dans la bibliothèque en dépit des protestations du Maître Bibliothécaire.

– Gravatte a eu un mari et même des enfants ! s'écria soudain Réksopié. Il est écrit là qu'elle est entrée à Lur à un âge avancé.

– Oui, mon ami, dit Méd'hor. Mais nous ne nous intéressons pas à cette partie des *Actes*.

– Je le sais ! rétorqua le Horrigan d'un ton offensé. Je voulais juste remarquer qu'il est possible que Siki-Siki soit sa descendante en ligne directe !

Entendant son nom dans son sommeil, Siki-Siki se redressa et demanda si on l'avait appelée.

– J'ai terminé ! s'écria Mirz'ha.

Il s'avéra que chacun était arrivé au bout de sa pile de parchemins. Karzel rassembla les notes puis entreprit de les mettre dans l'ordre.

– À part ces morceaux de récit dont l'intérêt reste à démontrer, commenta-t-il, je constate qu'il y a des mots ajoutés et quelques-uns remplacés. Le plus incroyable, c'est que nous avons un texte qui se tient parfaitement. De là à dire qu'il est compréhensible…

– Faites-nous-en la lecture ! s'impatienta Copiraille.

– Bien. « *Le Monarque te reconnaîtra, Honorable, toi*

qui dois recevoir ce que tu mérites et t'offrira mon chaudron car je ne peux parler qu'à mon égal.»

– La révélation du Papillon... murmura Siki-Siki.

– *«Je t'envie cependant. Tu vivras la gloire alors que moi, je n'ai vécu que le déclin. Voici ce que j'ai vu: la lumière sera mauvaise et le Frère Lampier l'éteindra. Les terres seront stériles et le Lampadéphore les incendiera pour y planter de meilleures semences. La Reine héritera de la Couronne de Ténèbres et de l'Opale du Jour. Et du chaos même d'où ils bouleverseront le ciel au tournant du quatrième mois, naîtront la majestueuse Étoile au sombre éclat et l'Astre bâtisseur de l'aube sereine. Puis reviendra le Gardien de l'Étoile qui, dans la neige, fait fleurir l'amandier. Chevauchant la brume, le Luminier.»*

Karzel regarda Siki-Siki. Le Luminier! Loudana, ignorant le sens de ce mot, l'avait changé en «luminaire»!

– Essayons d'analyser phrase après phrase, dit Ilex Minor. Ce qui me surprend d'emblée, c'est l'apparition du Frère Lampier! Nous pensions jusqu'alors que le Frélampier n'existait que dans la prédiction de Kuzu Dambar et qu'il était synonyme de Lampadéphore. Ainsi donc, Gravatte fait une distinction entre les deux.

– Les trois, corrigea Siki-Siki. Le Luminier, c'est aussi Finn.

– Déduction un peu hâtive, objecta Dystar.

– Non, répondit-elle. Souvenez-vous de la prophétie du Lampadéphore : *« porté par la brume »*. Finn a un cheval, une jument, pour être précise. Et il l'a baptisée Brume !

– Quoi ? fit Froideneige, ébahi.

– C'est la vérité ! Voilà ce que je crois : le Frélampier est celui qui déclenche le premier temps du chaos, c'est un destructeur dont le destin est d'*« éteindre la mauvaise lumière »*. Le Lampadéphore incendie les terres, un peu comme les paysans le font pour les rendre cultivables. Mais lui, quoiqu'il paraisse aussi plutôt violent, ensemence. Son flambeau, c'est la bonne lumière ! Autrement dit : le deuxième temps, celui de la reconstruction. Quant au Luminier, il est défini comme le gardien de l'Étoile, je suppose qu'il s'agit de notre étoile à huit branches. Je l'imagine comme un protecteur.

– Ça se tient, admit Ilex Minor. Que vient faire là-dedans cette histoire d'amandier ?

– Je ne saisis pas non plus, avoua Siki-Siki. Sauf que…

Elle chercha l'approbation sur le visage de Karzel.

– Ne vous fâchez pas, Maîtres. J'ai omis de vous apprendre quelques petites choses. Loudana… hum… est une sotte qui n'a aucune idée de l'importance de ses souvenirs ! Nous devons envisager le fait que Miricaï n'est peut-être pas le père de Finn.

Si la foudre leur était tombée dessus, les Vénérables et les Horrigans n'auraient pas été plus anéantis. Siki-Siki leur rappela que le chaudron de Kuzu Dambar avait désigné Finn comme le Frélampier, jamais comme le fils de Miricaï. Rien n'était sûr, cependant.

Siki-Siki rapporta tout ce que Loudana avait dit sur la chanson du mystérieux géniteur de Finn. Il y était mentionné un amandier poussant malgré le froid et la neige. Hélas, cela n'expliquait rien.

– Il est évident, remarqua Ilex Minor, que *« sombre éclat »* et *« bâtisseur de l'aube sereine »* correspondent à *« obscure clarté »* et à *« créateur des aurores paisibles »* de la chanson. Pourquoi avons-nous, d'un côté, une étoile à huit branches et, de l'autre, deux astres distincts ? Et que signifie : *« Ils bouleverseront le ciel au tournant du quatrième mois »* ?

– C'est le cas ! s'écria Réksopié. Voilà des nuits que les étoiles filantes parcourent les cieux !

– C'est vrai… acquiesça Méd'hor. Laissons cela pour le moment. Il nous reste à élucider une partie : *« la Reine héritera de la Couronne de Ténèbres et de l'Opale du Jour. »* S'il y en a un parmi nous qui comprend ça !

– Reine et Monarque, c'est pareil, non ? supposa Siki-Siki. Drôle d'héritage pour la princesse Mélipona et…

Elle s'interrompit, prise dans un hallucinant tourbillon. Les mots prononcés par Kuzu Dambar sur son lit de mort lui revinrent brusquement en mémoire.

« Le chaudron me montra Miricaï puis m'ordonna le silence. Aussi, je prétendis que Miricaï était dans une aura de protection qu'il était impossible de pénétrer. C'était vrai dans une certaine mesure car il y avait bien une aura autour de lui. Mais elle était d'une nature toute différente. C'était une couronne de ténèbres. Ne te méprends pas : cela ne signifie pas que le Mal entoure Miricaï. Cela veut dire que Miricaï ne possède que la moitié du Langage. L'autre moitié, c'est la lumière. »

Comment Mélipona pouvait-elle être l'héritière de la Couronne de Ténèbres ? Et de l'Opale du Jour… l'autre moitié ?

Siki-Siki bondit hors du banc, en proie à une agitation telle que Karzel s'en inquiéta.

– Je sais ! Je sais où est notre étoile à huit branches !

Chapitre 7
De joyeux compagnons

Le Singulier supplia, les mains jointes et le regard d'un chien battu.

– C'est presque cuit !

– Tu m'embêtes, répondit Finn. Le soleil est levé depuis deux heures et nous devrions déjà être loin.

– Justement, on peut attendre encore un peu !

Finn haussa les épaules puis céda.

– Je parie que tu l'auras cassé avant la fin de la journée.

Le nain lui certifia que non. Il avait prévu une bande d'étoffe en laine pour envelopper son précieux bibelot. Il courut jusqu'à la fabrique afin de surveiller la dernière cuisson. Chéramie apparut, chargé d'un sac de provisions.

– Holà ! s'inquiéta Finn. Ça suffit ! Le pauvre Prunelle va s'effondrer sous le poids !

– Ma cousine Chérama serait chagrinée si je ne te donnais pas ses pains d'alisier. Et mon autre cousine Chérama serait jalouse si tu ne prenais pas aussi son sirop de ronce. Quant à ma troisième…

– Tu en as combien, de cousines ?

– Vingt-deux. Alors, la troisième t'a préparé une tourte à la farce d'oie et de truffes. Il faudra la manger ce soir ou demain. Tu la connais, c'est la Chérama qui s'est mariée cet automne.

Finn fit « oh ». Il avait appris, la veille, une chose tout à fait consternante qui l'avait conforté dans l'idée que les Chéramie étaient complètement dingues. Les jeunes fiancés sollicitaient un honneur, pour le moins particulier, auprès de Patriarche. Si celui-ci les jugeait méritants, il leur accordait le droit de passer leur nuit de noces dans la salle bleue de sa maison. Rien d'extraordinaire a priori, sauf que le lit était fait avec les draps utilisés par Finn lors de son précédent séjour. De magnifiques draps de lin qu'on ne lavait surtout pas puisqu'ils avaient été bénis par le grand Sorcier. Et quelle bénédiction ! Ayant fait pipi dans le Pot sacré par erreur, Finn s'était débarrassé de l'urine en la versant… sur la couche. Les couples choisis par Patriarche avaient l'assurance d'un mariage heureux. Les Chéramie en étaient persuadés.

Le Singulier revint à pas lents, serrant contre son cœur un nain en porcelaine. Il n'aurait pas été plus content avec des besants d'or.

– Est-ce que ce n'est pas une splendeur ? interrogea-t-il.

– Tu m'ôtes les mots de la bouche, railla Finn. Je l'entends presque me traiter de pisse de putois !

– Oui, il est bien ressemblant. C'est tout moi ! Hum… Qu'est-ce que ça sent ?

– Ça doit être la tourte.

– J'adore ce pays, dit le Singulier. Les gens sont de merveilleux artistes et leur cuisine est délicieuse ! Je reviendrai ici. Enfin, encore faudrait-il que je survive… ce dont je doute si je continue de te suivre.

– Tu n'as rien à craindre avec Maître Finn, affirma Chéramie.

– Ouais, c'est ça… Y a quoi dans les sacs ?

À l'énumération du contenu, le Singulier s'épanouit. Puis s'assombrit quand Finn salua son ami en lui promettant de ramener tous les Chéramie chez eux. Il ne pouvait s'empêcher de penser que les adieux étaient des plus définitifs.

Le ciel s'éclaircit, annonçant une belle journée. La famille de Patriarche sortit pour souhaiter bonne route à Maître Finn. Tout le long de la rue, les gens s'arrêtaient pour acclamer celui qui allait sauver leurs proches.

– Ils croient en toi, remarqua le Singulier. Ils sont quand même un peu bizarres dans ce comté.

Ils furent bientôt hors de la ville.

Finn savait qu'un désert rocheux occupait le sud de Damalone. Un endroit dont il n'avait pas gardé un excellent souvenir. Il frissonna en songeant à la caravane incendiée et aux malheureux qu'on avait assassinés. Et à la pierre verdâtre qu'il avait découverte, cachée dans un chariot. Il avait presque oublié qu'il avait cousu cette étrange pierre laiteuse dans sa tapisserie.

Cette fois, il n'était pas en fuite et il pouvait suivre sans crainte le chemin poussiéreux. La monotonie du paysage incitait au silence. En fait, le trajet était profondément ennuyeux. Seul Prunelle semblait apprécier la balade.

La nuit vit le retour des étoiles filantes.

*
* *

Le Singulier finit la tourte farcie et se lécha les doigts.

– Si tu as un plan, pet de crapaud, j'aimerais le connaître.

– Je me fie à mon instinct, répondit Finn.

– Fariboles et billevesées ! Je t'ai observé et j'ai ma petite idée sur tes méthodes.

Finn, qui sellait Brume, se retourna vers le nain.

– Ah oui ? Peux-tu m'expliquer ?

– Il suffit que tu parles. Ta magie, elle est dans tes mots !

Finn fronça les sourcils. Le Singulier, malgré son apparence fruste, faisait souvent preuve d'une grande sagacité. La force de Finn ne résidait pas dans son physique, pas plus que dans son aptitude à se servir d'une épée. Il était assez nul quand il fallait se battre, même s'il était plutôt vif… ou chanceux. En revanche, il possédait un indéniable talent pour convaincre et duper. Mais ce n'était pas de ça qu'il s'agissait. Finn ignorait que le Langage était la réunion du savoir et de la parole. Il n'avait pas conscience que la part qui lui revenait était celle de la lumière. Pourtant, il devinait que le Frélampier et le Lampadéphore étaient détenteurs du Langage, du moins dans une certaine mesure. Le Singulier avait donc raison.

Finn dissimula son trouble par une boutade.

– Je suis un beau parleur. Il paraît que j'ai hérité ça de mon papa!

Finn n'imaginait pas à quel point sa plaisanterie approchait de la vérité... Il mit un terme à la discussion en pressant le Singulier.

Le chemin était toujours aussi morne, sinuant dans les ravines. Vers midi, Brume fit un écart et secoua la crinière. Alerté, Finn observa la crête arrondie des rochers.

– Y a pas que ta jument qui flaire une odeur, murmura le Singulier en reniflant. Ça sent... les ennuis, comme d'habitude.

– Je vois des ombres mouvantes, remarqua Finn. Ils ne sont pas très doués pour se planquer, ceux-là.

– Puis-je suggérer qu'on parte au galop?

– Trop tard.

Hurlant et gesticulant, des hommes habillés en noir dévalèrent les éboulis rocheux, sabre au clair.

– Bonjour, messieurs! cria Finn. Vous tombez à pic, si j'ose m'exprimer ainsi!

– Toute résistance est inutile! Jetez vos armes et rendez-vous!

– Quelles armes? demanda Finn en montrant ses deux mains vides.

Arrivée au bas de la pente, la troupe s'arrêta. Un

boiteux à la mine peu avenante tordit sa bouche pour cracher.

– Vous êtes des brigands, je présume ? dit Finn. Parfait.

– Quoi ? grimaça le boiteux.

Les autres échangèrent des regards interloqués. Il n'était pas d'usage d'avoir l'air content quand on était face à eux. Un homme de haute taille se détacha du groupe et avança de quelques pas. Il était facile de deviner qu'il dirigeait la bande. Il dévisagea Finn un moment puis sourit.

– Pourriez-vous descendre de cheval ? Je préfère tuer rapidement. C'est moins cruel.

– C'est tout à votre honneur, répondit Finn. Mais le soleil est au zénith et j'ai une petite faim. Vous vous joindrez bien à nous pour partager notre repas ?

– On ne partage pas, on prend tout ! grogna un maigrelet.

– C'est très mal élevé de refuser une invitation, le réprimanda Finn. J'ai une affaire à vous proposer. Devisons en mangeant. Vous ne risquez rien à m'écouter. Vous pourrez toujours nous égorger après.

– C'est certain, acquiesça le chef. Quel genre de proposition ?

Finn passa la jambe par-dessus les oreilles de Brume et se laissa glisser à terre.

– Dites-moi si je me trompe : avec cette guerre à Ulcamar, vous devez être plutôt désœuvrés ? Les caravanes se font rares, n'est-ce pas ? Et ces soldats partout, ça doit vous compliquer la vie !

– Où voulez-vous en venir ?

– J'ai un excellent vin de noix.

D'une allure paisible, Finn marcha jusqu'à Prunelle. Les brigands furent prompts à réagir et le menacèrent de leurs badelaires.

– Calmez-vous ! les pria Finn. Il n'y a que de la nourriture dans cette sacoche ! Tenez, voilà le vin ! Et si je dois mourir aujourd'hui, j'aimerais connaître le nom de mon assassin d'abord.

– Je suis Révolin, dit le chef. Et vous ?

– Je suis le guérisseur Alik. Contrairement aux vôtres, mes affaires se portent à merveille depuis le début des hostilités. Sa Splendeur Sambuc m'a rendu un grand service en se débarrassant des Maîtres Sorciers. Imaginez tous ces pauvres gens inquiets et malades, abandonnés à leur triste sort… et si faciles à rouler ! Ça m'a donné à réfléchir. Je veux devenir riche. Très riche. J'ai un plan et j'ai besoin de vous pour parvenir à mes fins. Vous avez tout à y gagner.

Les brigands s'intéressaient plus à la bouteille et aux victuailles qu'à la conversation. Il y avait sans doute des semaines qu'ils n'avaient pas fait un bon repas. Ils se jetèrent sur les provisions au grand désespoir du Singulier. Finn but en premier pour leur prouver qu'il ne cherchait pas à les empoisonner.

– Je suis tout ouïe, dit Révolin.

– Avez-vous eu l'occasion de vous approcher de Candrelar, ces derniers jours ? demanda Finn.

– Nous évitons cette ville. Il y a la Garde incarnate, l'ignorez-vous ?

– Justement… elle n'y est pas !

Révolin hocha la tête en signe d'incompréhension.

– Mon cher ami, reprit Finn, la Garde est très occupée à transformer des paysans en soldats. Et, croyez-moi, je suis bien informé ! L'armée est toujours à Ulcamar, certes. Elle ne va pas y rester longtemps. Cela signifie que Candrelar n'est pas défendue. Ah, évidemment, elle est protégée par des murailles d'enceinte qui la rendent imprenable ! Mais je n'ai pas l'intention de l'assiéger !

– Je ne vous suis pas, répondit Révolin. Comment voulez-vous prendre Candrelar ?

– Ce n'est pas nécessaire. Il suffit d'y entrer.

– Et après ?

– La seule opposition éventuelle ne peut venir que des mercenaires et de quelques gardes. Un mercenaire, ça s'achète. Un garde, ça s'élimine. Il ne s'agit pas de conquérir la ville, seulement d'en prendre possession ! Et je sais comment.

– J'hésite : êtes-vous un fou ou un fieffé menteur ?

– Ni l'un ni l'autre ! Je vous jure qu'avec votre aide c'est possible ! Je connais l'endroit. Et qu'y trouve-t-on ? De somptueux palais où n'importe qui peut s'introduire... Quelques drapiers richissimes qui maltraitent des domestiques prêts à les trahir à la moindre occasion. Et une foule de misérables exploités, affamés, méprisés... Pensez-vous que ceux-là vont protester si on les débarrasse des drapiers ?

– La Guilde de la soie fournit du travail à ces malheureux !

– Il n'est pas question de les priver de leur travail ! Il s'agit de leur offrir de gagner plus et de vivre mieux !

– Je n'ai plus de doute : vous êtes fou !

– Ne vous arrêtez pas aux apparences. Réfléchissez. Pourquoi les drapiers sont-ils détestés ? Parce qu'ils ne se préoccupent que d'eux-mêmes. J'ai été le guérisseur de Gupta. Son pavillon d'hiver est si luxueux que c'en est écœurant. Qui a besoin d'avoir plus qu'il ne peut dépenser? Éliminons la Guilde, donnons les manufactures au peuple et emparons-nous de la fortune des drapiers!

Les brigands regardèrent leur chef. Dubitatif, Révolin se caressait la barbe.

– C'est bien gentil, tout ça, finit-il par dire, encore faut-il franchir la porte de la ville! Vous n'imaginez pas que les gardes vont nous laisser passer?

– Pas si vous vous présentez ensemble, armés jusqu'aux dents! L'idée, c'est d'entrer un par un, comme de simples voyageurs en quête d'une auberge pour se reposer. Il n'est pas difficile de tromper quelques imbéciles. Oh, je manque à mon devoir! Il n'y a plus rien à boire. Singulier! Il doit rester une bouteille. Qu'est-ce que t'attends? Allez, réveille-toi!

– Drôle de compagnon que vous avez là, remarqua Révolin.

– Ouais, je ne m'en réjouis pas tous les jours! Il m'arrive de regretter de l'avoir sauvé des griffes d'un maître qui le faisait trimer dans une fonderie. Il ne sait que manger et dormir! Enfin, il suscite la crainte dans les populations. C'est parfois un avantage.

Le Singulier trifouillait dans les sacs de Prunelle. Révolin, qui le trouvait long à revenir, tourna brusquement la tête vers lui. Le nain, prétendant ne pas s'en apercevoir, porta le goulot à la bouche. Finn poussa une exclamation.

– Espèce d'immonde lombric ! Combien de fois t'ai-je interdit de toucher au vin, fiente de corbeau ?

Le Singulier baissa le nez, contrit, et reboucha la bouteille.

– Je voulais juste m'assurer qu'il n'avait pas viré à l'aigre.

Dès qu'il fut assez près de lui, Finn lui donna une gifle en lui promettant pire si jamais il l'y reprenait. Les brigands s'emparèrent de la bouteille et entreprirent de la vider.

– Désolé de cette pénible interruption, s'excusa Finn. Alors, que pensez-vous de ma proposition ?

– Amusante, répondit Révolin. Hélas... j'ai peur que ça ne soit pas dans nos cordes.

– Tant pis... Trinquons ! Enfin, si vos amis nous ont laissé quelque chose.

– Y a pu ! cria le boiteux. Maintenant, chef, on lui règle son compte, au bavard ?

Puis il se mit à bâiller à s'en décrocher la mâchoire.

– Je sollicite cette faveur, ricana Révolin. Vous

pouvez tailler le nain en pièces ! Mais… hé ! Qu'est-ce que…

Effaré, Révolin vit ses hommes s'effondrer les uns sur les autres. Il n'eut pas le temps de réagir. Le Singulier venait de lui fracasser le crâne avec une pierre.

– Voilà ce qu'il te dit, le nain !

– Pas mal, apprécia Finn. Décidément, la poudre de torpeur est d'une redoutable efficacité ! J'avoue que je n'étais pas sûr que tu comprennes le message.

– Je ne suis pas stupide. Quand tu as prononcé les mots : réveille-toi, fonderie et dormir, j'ai tout de suite su ce que tu voulais que je fasse ! Bon, on les massacre ?

– Pas la peine. Ligotons-les solidement et chassons leurs chevaux. Dommage, malgré tout. Mon plan aurait pu marcher. Allons ! Ce n'est que partie remise ! J'aurai plus de chance à Candrelar.

Le Singulier leva les yeux au ciel. Finn était désespérant.

Chapitre 8
Forteresse secrète

Dystar se réveilla avec un méchant mal de tête. La nuit avait été courte. Il se lava le visage puis s'essuya. Il devait reconnaître que les derniers événements l'avaient éprouvé. Le poids des ans commençait à peser lourd sur ses épaules.

Il s'assit à sa table et regarda par la fenêtre. Combien de matins verrait-il encore ? Il soupira, pris de mélancolie. La mort de ses vieux compagnons, Islip et Viren Majus, l'avait atteint plus qu'il ne l'avait cru. Il arrivait à la fin de sa propre vie. Il ne souhaitait qu'une chose : être encore là lorsque le Langage reviendrait. Car il n'avait plus de doute. Siki-Siki avait bel et bien déchiffré les *Actes* de Gravatte, elle était l'égale de l'Honorable et Maître Devin elle-même. Déconcertant mais réel. La jeune fille possédait aussi une intelligence hors normes doublée d'une intuition rare. Peut-être y avait-il là-dedans une manifestation magique. Néanmoins, la vivacité d'esprit de Siki-Siki était indéniable. Un peu trop spontanée au goût de Dystar, manquant d'humilité et parfois de sens critique, petits défauts dus à son âge… Il s'étonnait de trouver des excuses à son comportement insolent. Il avait un faible pour Siki-Siki. En fait, elle l'amusait !

Dystar massa ses tempes douloureuses. L'étoile à huit branches… Il était perplexe. Rien n'avait été décidé la veille, chacun jugeant sage de prendre le temps de la réflexion. À cette heure, tout le monde devait être au réfectoire. Le Vénérable n'était pas du genre à se plaindre. Accablé ou non, il restait le Grand Maître de Lur. Il se leva, lissa sa robe pourpre et redressa le dos. Puis il sortit de sa chambre.

Il vit d'abord Froideneige tamponnant avec un linge les paupières gonflées de Copiraille. Le pauvre bibliothécaire pouvait à peine ouvrir les yeux. Méd'hor discutait de remèdes avec l'herboriste.

– Du suc de plantain dans une décoction de camomille ? dit Froideneige. Oui, c'est excellent. Je préfère l'infusion d'euphraise, pour ma part. J'obtiens de bons résultats avec Copiraille.

Dystar salua la tablée.

Tiercefeuille, à force de menaces, avait persuadé Trago de servir sa bouillie d'épeautre agrémentée de serpolet séché. Gris-Corbin trouvait ça encore plus mauvais.

– Alors? grogna l'Engoulant. Allons-nous enfin faire quelque chose pour arrêter la guerre?

– Il n'est pas sûr que ce soit à notre portée, répondit Ilex Minor.

– Je pense le contraire, répliqua Siki-Siki. La victoire ne se fera pas sur un champ de bataille. Nous devons croire à la puissance de l'Étoile. Notre devoir, c'est de la protéger. Et pour ça, il n'y a qu'un moyen: retourner à Hibah.

– On sera pendus comme déserteurs! s'affola Chantepleure.

– Je ne parle pas de vous, expliqua Siki-Siki, uniquement de moi!

– Seule, vous seriez exposée au danger, objecta Karzel.

– Soyez logique: les Frères Guerriers ne peuvent pas me suivre et vous autres, les Sorciers, ne le pouvez pas non plus! Je suis déjà entrée dans le palais de Sambuc et j'en suis ressortie sans difficulté.

– C'est vrai, admit Karzel, mais Sa Splendeur

était encore en vie. La situation est différente : Acer est revenu et on peut craindre que Mélipona ne soit plus maîtresse chez elle.

– Ça change quoi ? Je ne suis qu'une fillette inoffensive rendant visite à son amie la princesse ! Pourquoi Acer s'intéresserait-il à moi ?

– Il pourrait se demander ce que vous faites sur les routes sans escorte pour vous défendre !

– Vous pinaillez… Il suffit d'inventer une histoire plausible.

– Là n'est pas le problème, remarqua Copiraille. Merci, Froideneige, je vais mieux… Même si rien de fâcheux ne vous arrive, que ferez-vous une fois auprès de Mélipona ?

– Je dois la ramener ici.

– Illusoire ! s'exclama le Maître Bibliothécaire. Jamais vous ne pourrez vous échapper du palais avec la princesse !

– J'ai beaucoup d'imagination, rétorqua Siki-Siki. Je trouverai une solution.

Dystar avait jusque-là écouté en silence. Il ne pouvait se taire plus longtemps.

– Et si vous vous trompez au sujet de l'Étoile ?

– Comment ça ? Il est évident que l'Étoile est la réponse à…

– Non, coupa Dystar. Je parle de Mélipona. Nous n'avons aucune preuve en ce qui la concerne.

– J'ai raison, affirma Siki-Siki. Elle est le Monarque, vous ne le niez pas ? Donc, c'est forcément elle que Gravatte appelle la Reine.

– Je m'inscris en faux, repartit Dystar. Pourquoi Gravatte lui aurait-elle donné un autre nom alors qu'elle est l'auteur de la révélation du Papillon où elle la qualifie de « Monarque » ?

– Parce que... parce que mon ancêtre avait l'esprit tordu !

– En voilà un argument ! se moqua Copiraille.

– Vous n'y êtes pas, intervint Karzel. Gravatte, comme tous les Maîtres Devins, s'est contentée de transmettre les messages du chaudron. Le choix des mots n'est pas de son fait. Et nous sommes bien placés pour savoir que les prophéties ne sont guère limpides, en général... Cependant, je pense comme Siki-Siki. Non pas pour des questions de vocabulaire ! Mais parce qu'elle est sous influence depuis qu'elle est à Lur. Les Honorables s'expriment par sa bouche.

– Je ne suis qu'un pantin d'après vous ? protesta Siki-Siki.

– Je viens d'abonder dans votre sens, vous pourriez m'en être reconnaissante.

– C'est trop gentil ! D'ailleurs, vous venez de me donner une idée. Puisque les Honorables résident toujours dans la tour d'Est, je désire m'y rendre et m'entretenir avec elles !

– Y a d'autres dames, ici ? demanda Chantepleure d'un air ahuri.

– Je vais mettre les Frères au courant si vous voulez, dit Réksopié.

– Il vaudrait mieux que ce soit moi, proposa Méd'hor.

– Pourquoi ? Je me souviens parfaitement ! Il y a des tombes dans les murs !

Méd'hor regarda son ami avec stupéfaction. Réksopié ricana. Le Grand Maître autorisa Siki-Siki à retourner dans la tour, à la condition de l'y accompagner lui-même. Ce qu'ils firent sans attendre. Siki-Siki profita d'être seule avec Dystar pour aborder un sujet délicat.

– Maître, arrêtons-nous un instant au pied de l'escalier. Il y a des choses qui me troublent et je crois que vous pourriez m'éclairer.

– Si je le peux, répondit Dystar, un peu surpris.

– Kuzu Dambar m'a instruite, comme vous le savez, des années durant. Je lui posais des questions et n'obtenais pas toujours d'explications satisfaisantes. En particulier à propos de Miricaï. Ou, plus précisément, sur la période où il était ici. Kuzu Dambar m'a rapporté que Miricaï vivait à Lur, qu'il laissait des traces de ses activités sans que jamais personne ne le voie ! Étiez-vous à la forteresse à ce moment-là ?

Dystar acquiesça. À l'époque, il était Maître Mémoire. La forteresse était dirigée par Touwist'heuguène, un homme fort âgé et d'un caractère irritable. Pendant des semaines, les Vénérables avaient traqué Miricaï. Mais il leur échappait sans cesse ! Il se livrait à des facéties d'un goût douteux. Il fabriquait des potions qu'il laissait dans l'officine de l'herboriste avec des recommandations sur leurs usages. Il se permettait aussi d'écrire des poèmes qu'il signait Miricaï le Grand, en toute modestie. Un très mauvais poète, selon Dystar… La nuit, on apercevait des lueurs par les lucarnes de la tour d'Est. En dépit de l'interdiction, Touwist'heuguène y était monté. Malgré ses efforts, il lui fut impossible d'ouvrir la serrure.

– Pensiez-vous vraiment que Miricaï avait le don d'invisibilité ?

– La plupart des Vénérables en étaient persuadés. Je n'en suis pas convaincu. La forteresse est grande et nous étions déjà peu nombreux. Il y a des pièces et des couloirs dissimulés dans l'épaisseur des murs. Nous n'en connaissons que quelques-uns. Au temps de la construction de Lur, il était nécessaire de prévoir des passages secrets. Une longue ère de paix les a rendus inutiles, et le plan a été perdu. À mon avis, Miricaï l'a découvert. Je suis sûr qu'il se déplaçait dans ces galeries inconnues de nous. Il a même dû trouver un tunnel pour entrer, sans doute creusé dans la colline.

– Il s'est joué de vous... Peut-être que Miricaï n'a jamais eu de pouvoirs magiques.

– En tout cas, il a prétendu avoir déchiffré les *Actes*. Et il a eu l'arrogance de nous informer qu'il n'avait plus rien à faire à Lur !

Siki-Siki s'étonnait que Miricaï fût si célèbre alors qu'en réalité personne n'avait eu l'occasion de le voir. Comment expliquer la multitude d'histoires fabuleuses et de récits épiques qui circulaient sur son compte, terrorisant les uns et fascinant les autres ? Dystar remarqua, non sans humour, que Miricaï avait pu lui-même raconter son extraordinaire vie de Sorcier à tout un chacun. Bien malin celui qui pouvait deviner qui était à l'origine de la légende !

– Pourtant vous êtes certain que Miricaï possède le Langage, n'est-ce pas ?

– La raison en est simple : Miricaï affirmait avoir décrypté les *Actes* de Gravatte. Et des générations de Sorciers ont cru que le livre était la clé du Langage ! Grâce à vous, nous savons maintenant qu'il n'en est rien. Et n'oubliez pas que votre cher Kuzu Dambar, loin de nous détromper, nous a confortés dans l'idée que Miricaï était tel qu'on l'imaginait. Le mystère n'en est que plus profond.

– En effet... murmura Siki-Siki, les yeux dans le vague.

Elle songeait à la Couronne de Ténèbres. Elle n'avait pas rapporté les paroles du Devin Supérieur. Elle craignait de trop parler et, du coup, prenait le risque de ne pas en dire assez. Les Maîtres Sorciers restaient sceptiques au sujet de Mélipona. Siki-Siki avait besoin de l'appui des Honorables. Si celles-ci ne se manifestaient pas, elle envisageait de mentir. Ce n'était pas joli joli, mais la fin justifiait les moyens !

Cachant mal son impatience, Dystar l'invita à monter. L'excitation le gagnait. Depuis des siècles, la tour était frappée d'interdit. Peu de Vénérables avaient osé s'y aventurer et aucun n'était parvenu à ouvrir la porte.

Siki-Siki posa les mains sur la serrure. Le métal était chaud malgré le froid glacial qui régnait dans l'escalier. Gravatte avait rapporté dans son livre que la serrure était une création des Honorables. Elles seules en connaissaient la combinaison. Siki-Siki ferma les paupières et se laissa guider. Les poussoirs déverrouillèrent les cadenas un par un. Dystar retint sa respiration.

La pièce était plus haute encore que dans le souvenir de Siki-Siki.

La flamme de la bougie que portait le Vénérable vacilla. La lumière du jour pénétrait par les meurtrières et dessinait dans l'air des lignes obliques où virevoltait la poussière.

– C'est vide, constata Dystar. Je m'attendais à trouver du mobilier, des livres, des signes d'occupation de l'endroit… C'était stupide, je suppose. Quoique je me demande qui a enlevé les meubles.

Siki-Siki ne s'intéressait pas au problème. Elle s'était avancée et regardait, impressionnée, les innombrables inscriptions gravées dans la pierre. Dystar hésitait à franchir le seuil. Il ne lui était pas si facile de braver l'interdiction. Puis il pensa qu'il allait bientôt mourir et que c'était maintenant ou jamais. Il entra.

Siki-Siki tendit les bras devant elle, les paumes tournées vers le mur. Elle sentait des vibrations.

– Aidez-moi, aidez-moi… implora-t-elle.

Elle cria de surprise lorsque Dystar la tira soudain vers lui. Effarée, elle vit une dalle s'écraser avec fracas sur le sol.

– Vous n'avez rien? s'inquiéta Dystar.

– Non. Merci, Vénérable. Il s'en est fallu de peu!

– Une chance que je levais la tête juste à cet instant! Elle est tombée de… j'ai du mal à retrouver l'emplacement. Là! Vous apercevez le carré sombre?

– Oui. Vénérable. Il nous faut une échelle!

– Pour quoi faire?

– Enfin, c'est clair! Les Honorables ont répondu à ma prière. Je dois monter. J'espère qu'il n'y a pas un cadavre momifié dans ce trou!

– Tout au plus quelques vieux ossements, précisa Dystar.

Siki-Siki partit d'un rire nerveux.

– Je n'y tiens pas non plus! Oh, mais… je n'ai pas besoin d'échelle! Je peux escalader le mur, les pierres sont suffisamment espacées.

– Vous êtes folle!

– J'ai de l'entraînement, Maître. Et puis, il n'y a guère que six ou sept mètres

Dystar essaya en vain de la raisonner. Quand Siki-Siki avait décidé quelque chose, personne ne pouvait la faire changer d'avis.

– Si vous vous rompez le cou, Karzel tordra le mien, bougonna Dystar.

– Il n'oserait pas. Peut-être que si… Il me couve comme une mère poule, ça m'énerve.

Dystar sourit dans sa barbe blanche. L'image du Horrigan en mère poule protégeant son poussin le réjouissait. Ce qui l'amusait surtout, c'était que Siki-Siki ne comprenait rien. Karzel portait sur elle un regard qui en disait long…

Siki-Siki grimpait avec une facilité stupéfiante. Elle fut soulagée en constatant qu'il n'y avait pas de cercueil dans le boyau. Elle se glissa dedans et avança à quatre pattes. Il n'y avait pas de fond ! Elle tâtonna devant elle, s'accoutumant peu à peu à l'obscurité. Puis elle fit demi-tour et rejoignit Dystar.

– C'est un de vos passages secrets, dit-elle. Il y a des marches qui montent et qui descendent.

– Montent ? Mèneraient-elles au chemin de ronde ? Franchement, ils auraient pu trouver un accès plus pratique !

– À mon avis, c'est une issue en cas d'urgence. Il doit y avoir d'autres entrées.

Siki-Siki était déçue. Quel genre de message les Honorables lui envoyaient là ? Elle se tourna à nouveau vers le mur, à l'écoute. Tout à coup, l'évidence la frappa.

– Vénérable, vous savez pourquoi il n'y a pas de meubles, ici ? Parce qu'il n'y en a jamais eu ! Nous sommes dans une sorte de sanctuaire et...

Elle s'interrompit, fit volte-face et partit en direction de la porte.

– Morte corne, nous sommes stupides ! Cet escalier est plongé dans le noir car il n'y a aucune fenêtre. Il est assez large, certes, mais pas en proportion de la taille de la tour ! Il y a forcément des pièces tout autour de son axe !

– C'est possible, admit Dystar. Quant à les découvrir... Les architectes de Lur ont si bien caché les systèmes d'ouverture qu'ils sont indécelables. Et je les ai cherchés dans toute la forteresse !

Siki-Siki répondit qu'elle y parviendrait. Elle convia Dystar à la suivre. Elle tira la porte derrière eux. Il n'était pas nécessaire de manipuler la serrure. Les verrous s'enclenchaient automatiquement. Dystar remarqua qu'il fallait revenir avec de grosses lanternes. Sa petite bougie n'était pas d'un grand secours.

– Inutile… souffla Siki-Siki. Je n'ai qu'à me laisser guider.

Elle percevait les vibrations des pierres. Arrivée à la moitié de l'escalier, sa main ressentit une intense chaleur. Elle s'arrêta.

– Si vous pensez que c'est là, poussez fort, conseilla Dystar.

Siki-Siki obtempéra avec une belle énergie. Elle perdit brusquement l'équilibre et s'aplatit le nez contre le mur. Elle se redressa, un brin vexée.

– Foutre catin ! Hum, désolée.

Dystar n'avait cure de ses excuses. Un passage s'était ouvert sans le moindre bruit. Une odeur de moisi et de poussière les saisit à la gorge. Siki-Siki toussa.

– Voilà des siècles que cette chambre est close, murmura Dystar.

– Ah, c'est infect ! Comment faisaient les Honorables pour respirer là-dedans ?

La flamme de la chandelle se coucha quand Dystar s'approcha pour regarder à l'intérieur.

– Il y a un courant d'air, dit-il. L'endroit n'est pas aussi hermétique qu'on pourrait le croire.

Siki-Siki pensait qu'elle méritait d'entrer la première et elle se faufila pour devancer le Vénérable.

Elle fut surprise en voyant la lumière du jour filtrer par d'étroites meurtrières horizontales. Cette simple astuce les rendait presque indétectables de l'extérieur.

– Vous vouliez des meubles ? demanda Siki-Siki. Vous êtes servi. C'est ça, ce délicieux parfum de putréfaction ! Oh !

Siki-Siki tendit un doigt tremblant vers une masse sombre dans un coin, un lit en partie effondré.

– Foutre ca... Vénérable !

À peine couvert par des lambeaux de tissu pourri, un squelette reposait là.

Chapitre 9
Imprévu

Copiraille transpirait à grosses gouttes, signe d'une intense émotion. Les chambres secrètes recelaient un trésor : une bibliothèque ! Les manuscrits étaient conservés dans une pièce bien aérée. Ils avaient moins souffert de l'humidité qu'on aurait pu le craindre. Cependant, nombre de parchemins s'effritaient au toucher. Le Vénérable avait ouvert quelques livres. Ils étaient écrits en dialecte ancien et étaient donc incompréhensibles. Cela n'affectait en rien son enthousiasme. Lur s'enrichissait de nouveaux ouvrages. Copiraille s'activait à les transporter dans la tour d'Ouest où il pourrait les nettoyer, les restaurer, les choyer…

L'étage était composé de plusieurs petites cellules. Il était évident que les lieux avaient été habités. Les Sorciers se regroupèrent, après leur visite.

Copiraille refusa poliment l'aide de Méd'hor. Il préférait s'épuiser en allées et venues plutôt que de laisser quiconque manipuler les précieux manuscrits. Siki-Siki se tenait, les bras croisés, à proximité de la sortie. Elle n'était pas à son aise dans cette atmosphère lourde et malsaine. Karzel s'intéressait au squelette.

– Taille moyenne, bassin large, constata-t-il. C'est une femme qui a eu des enfants. Tiens ? Il y a une bague autour du majeur. Il me semble qu'elle est composée de trois anneaux entrelacés. Le métal est fort noir.

Il se pencha en avant, approchant sa chandelle. Son genou heurta un des montants du lit. Ce faible choc suffit à faire trembler les ossements. Siki-Siki vit avec horreur la bague tomber sur le sol et rouler jusqu'à ses pieds, où elle s'arrêta.

– Ah ! fit Karzel. C'est pour vous, je crois.

– Ça ne va pas ? cria Siki-Siki. Je ne veux pas prendre un bijou qui vient d'un squelette ! C'est dégoûtant !

– Allons, allons ! réprimanda Dystar. La mort n'a rien de sale. C'est naturel. Je suis de l'avis de Karzel : cet objet vous est destiné. Il est logique de penser que nous sommes en présence de Gravatte.

Nous savons qu'elle fut la dernière des Honorables et que les Vénérables n'ont jamais réussi à ouvrir la serrure du sanctuaire. Elle n'a pas pu être emmurée avec ses compagnes. On l'a laissée ici... j'ignore pourquoi.

– Pour la punir, dit sombrement Siki-Siki.

– Voilà l'explication de ce qui s'est passé aujourd'hui, remarqua Ilex Minor. La chute de la dalle, la découverte de cet endroit... Gravatte désire reposer en paix avec les Honorables. Notre devoir est de mettre ses restes dans un cercueil ou un coffre et de les porter là-haut.

– Cela me paraît juste, acquiesça Dystar.

Karzel ramassa les anneaux qui se déboîtèrent, formant une minuscule chaîne. Il les remit en place et les tendit à Siki-Siki. Celle-ci poussa un soupir résigné. Avec réticence, elle glissa la bague au majeur de sa main droite. Puis s'aperçut que tous les Maîtres Sorciers l'observaient attentivement.

– Désolée de vous décevoir mais il ne se passe rien. Ce n'est ni chaud ni froid et je ne ressens aucune vibration. Maintenant, j'aimerais bien que nous reparlions de choses plus importantes.

– Je ne suis toujours pas convaincu au sujet de Mélipona, répondit Dystar. Et si je ne m'abuse, vous n'avez pas obtenu ce que vous espériez en venant ici.

Siki-Siki grogna. Pour une fois que ça l'aurait arrangée de recevoir un message des Honorables...

– Je pourrais peut-être essayer avec le chaudron ?

– Êtes-vous appelée ? demanda Ilex Minor.

– Quoi ? Comment ça ?

– Vous l'avez déjà expérimenté. Je suis sûr que vous me comprenez. Les Maîtres Devins consultent le chaudron quand ils entendent son appel.

– C'est faux ! protesta Froideneige. Viren Majus s'en servait sans arrêt !

– Et il était aussi nul que moi, rétorqua Ilex Minor. Soyons sérieux ! La divination ne se pratique pas comme on prépare des potions. Et même Kuzu Dambar sollicitait très rarement son chaudron !

Siki-Siki n'avait pas envie d'admettre qu'Ilex Minor avait raison. Cherchant des arguments, elle se dirigea sans le vouloir vers le squelette sur le lit. Le crâne était légèrement penché sur le côté. Les orbites vides étaient fixées sur elle.

Siki-Siki regarda la bague. Un des anneaux brillait, d'une éclatante couleur d'or. Les deux autres avaient gardé leur aspect terne et noir. Siki-Siki n'avait aucune idée de la signification du phénomène mais décida d'en profiter. Elle montra sa main aux Sorciers et, adoptant un ton solennel, déclara :

– Voici la réponse de Gravatte. Mélipona est la Reine et elle porte l'Étoile.

Comme elle s'y attendait, personne n'osa plus mettre en doute ses allégations.

*
* *

Karzel vérifia le harnachement de son cheval. Chantepleure et Gris-Corbin faisaient grise mine. Ils étaient tristes de quitter Siki-Siki.

– Vous êtes sûrs de vouloir y aller sans nous ? demanda Tiercefeuille.

– Vous seriez en danger. Nous ne sommes pas très loin du palais de Sambuc. Nous y arriverons par des chemins peu fréquentés. Et puis Karzel veillera sur moi… puisqu'il a choisi de me suivre envers et contre tout !

– Je croyais que la discussion était close, remarqua Karzel.

– C'est toujours pareil avec vous ! On s'arrête de discuter quand vous avez eu gain de cause !

Copiraille ouvrit un battant de la grande porte

pour laisser sortir les bêtes. Omoa et Froideneige étaient descendus pour manœuvrer le pont. Dystar dissimulait son inquiétude sous un flot de recommandations. Les vieux Horrigans n'en finissaient pas de leur souhaiter bon voyage.

– Soyez prudents, dit Ilex Minor.

– Je ne risque rien ! s'exclama Siki-Siki. Souvenez-vous de la prophétie de Gravatte. Elle a écrit que je vivrai la gloire !

– Tout le monde peut se tromper, grommela Copiraille d'un air sinistre.

Dystar se tourna vers lui, les sourcils froncés. Siki-Siki prit le parti d'en rire.

– Merci pour votre soutien, Vénérable ! Allons-y, Karzel.

Elle préférait ne pas s'éterniser, de crainte de perdre tout courage. Le Maître Bibliothécaire s'empressa de refermer derrière eux, comme s'il était content d'en être débarrassé.

Siki-Siki franchit le ravin la première. Karzel marchait à sa suite en silence. Le sentier sur le versant opposé était trop abrupt pour être gravi à cheval. Siki-Siki guidait sa monture entre les gros rochers lorsque le Horrigan poussa un cri d'alarme. Elle n'eut pas le temps de comprendre ce qui se passait. Deux énormes mains la saisirent et la jetèrent à terre. Elle sentit la pointe acérée d'une dague contre son cœur. Du coin de l'œil, elle aperçut plusieurs individus qui jaillissaient de leur cachette.

– Ne bougez pas ou la fille est morte ! hurla l'un d'eux.

Karzel obéit et se trouva dépouillé de ses armes. La brute redressa Siki-Siki et, la serrant à la gorge, il la força à avancer.

– Vite, vite ! commanda-t-il. Il faut traverser !

Les assaillants s'engagèrent sur le pont, obligeant Karzel à les accompagner. Siki-Siki étouffait sous l'étreinte et luttait pour respirer. Le colosse la portait presque en courant. Dès qu'ils furent au pied de la forteresse, les agresseurs martelèrent la porte à coups de masse. Le vacarme alerta les Sorciers, qui n'avaient rien vu de l'attaque. Copiraille regarda par un minuscule judas et eut un mouvement de recul instinctif. Il en avait vu assez.

– Des brigands ! Au moins une dizaine ! Ils ont capturé Karzel et Siki-Siki !

Tiercefeuille était partisan de contre-attaquer. Mais Dystar en décida autrement quand des appels retentirent. On menaçait d'exécuter les otages s'ils n'ouvraient pas sur-le-champ.

– Engoulant, allez chercher Omoa et Froideneige tout de suite ! Ah, Loudana ! Vous êtes là, parfait ! Horrigans, emmenez-la dans la chambre de Gravatte et restez-y cachés. Vite ! Vite ! Je vais essayer de négocier en attendant que vous soyez tous à l'abri !

– Nous n'allons pas vous abandonner ! protesta Méd'hor.

– Ces mécréants ignorent probablement votre présence ici. Notre seule chance est l'effet de surprise. Dépêchez-vous !

Dystar s'approcha du judas et d'une voix forte apostropha les agresseurs.

– Qui êtes-vous ?

Le calme se fit à l'extérieur. Puis la brute répondit qu'il n'hésiterait pas à égorger la fille.

– Que voulez-vous ? demanda Dystar en guettant un signal de Copiraille.

Le Maître Bibliothécaire hocha la tête. Froideneige arrivait, essoufflé. Ilex Minor monta en dernier l'escalier de la tour d'Est.

– C'est pas clair ? On veut entrer !

– Très bien, très bien ! Inutile de s'énerver !

Copiraille et Froideneige firent glisser les barres. Dystar recula de quelques pas, lissa sa robe pourpre et se composa un visage digne. La horde chargea dans la forteresse.

– Nous accueillons volontiers les visiteurs égarés, dit le Vénérable. Il n'est pas nécessaire de nous assiéger !

– Vous n'êtes que trois ?

– En effet.

– Ah ouais ? Alors, qui c'est celui-là ?

Les Vénérables se retournèrent et virent Trago, sorti de sa cuisine en entendant le bruit.

– Ce n'est que notre serviteur ! répondit Copiraille.

Le Grand Maître sentit une sueur froide lui couler dans le dos. Trago... Comment allait-il réagir ? Il l'avait déjà trahi par le passé. Karzel suivait à peu près le même raisonnement. Et pour cause : c'était lui qui avait introduit Trago à Lur pour espionner les Vénérables ! Petit détail que ceux-ci ne connaissaient pas... Ils pensaient que le Vidame était à blâmer.

– Il n'y a que nous, insista Dystar.

Le géant lâcha Siki-Siki et la poussa dans les bras de Dystar. Il tira son sabre et s'approcha de Trago, qui tremblait de tous ses membres.

– Viens là, toi ! Je te conseille de me dire la vérité. Y a-t-il quelqu'un d'autre, ici ?

Trago ne parvenait pas à articuler tant il était effrayé. Il faillit s'évanouir lorsque le tranchant de l'épée effleura sa joue.

– Pi… pi… pitié… implora-t-il.

Les yeux bleus de Karzel étaient fixés sur le cuisinier. En dépit des circonstances, Trago avait encore plus peur du Horrigan que des brigands.

– Me… Maître Islip est mort.

– Qu'est-ce que tu veux que ça me fasse ? s'étonna la brute.

– Ben, c'est tout.

– Laissez ce malheureux ! s'emporta Froideneige.

– Toi, la tronche d'ivrogne, tu ferais mieux de la fermer ! Allez ! Tout le monde dans la salle là-bas !

– Mais enfin, que voulez-vous ? demanda Dystar.

La brute eut un sourire presque ironique.

– Oh moi, rien ! Estimez-vous heureux : j'ai ordre de ne tuer personne. Pour l'instant…

Puis il s'adressa en aparté à l'un de ses acolytes. Copiraille, qui se tenait non loin, tendit l'oreille.

– Va prévenir le Prince que nous avons réussi.

*
* *

Loudana, horrifiée, contemplait le squelette sur le lit.

– Je veux pas rester ! gémit-elle.

– Ça ne nous amuse pas non plus, grogna Tiercefeuille. Chantepleure, arrête de faire cette tête !

– Qu'allons-nous faire ? demanda Gris-Corbin.

Ilex Minor avait besoin d'étudier la situation avant de prendre une décision. Les assaillants étaient au nombre de dix au minimum. S'ils avaient l'idée de fouiller la forteresse, ils découvriraient des armes et des bagages dans les cellules. Alors ils risquaient de comprendre...

– Nous sommes à l'abri, dans la tour. C'est un avantage tout autant qu'un inconvénient. Car nous sommes coincés.

– Peut-être, répondit Méd'hor. Cependant, j'ai du mal à croire qu'il n'existe qu'une seule entrée. Siki-Siki a vu un escalier derrière les dalles. Il doit partir de quelque part !

– Il est vrai que nous n'avons pas cherché. On peut toujours essayer. Je n'ai guère d'espoir. Nous savons que les architectes de Lur étaient doués.

Réksopié frappa sur l'épaule de Méd'hor.

– Pourquoi sommes-nous dans cette pièce et à qui appartiennent ces ossements ?

– Pas maintenant, mon ami.

À la lueur des bougies, on entreprit de sonder les

murs, poussant des pierres au hasard. Ilex Minor tentait de s'orienter. Le passage du sanctuaire se trouvait du côté opposé à la porte verrouillée par la serrure multiple. Cela éliminait un certain nombre de possibilités.

– Ne perdez pas votre temps là où il y a des meurtrières, recommanda-t-il.

Les Horrigans étaient dans la bibliothèque. Mirz'ha contemplait les parchemins que Copiraille avait déplacés pour les examiner. Réksopié attira son attention en lui tapotant le dos.

– PAS MAINTENANT, MON AMI ! cria Mirz'ha.

Réksopié se contenta de lui indiquer du doigt un espace vide entre les livres.

– Oui, on les a enlevés ! On t'expliquera plus tard !

– Ce n'est pas ça, répondit doucement Réksopié. Il y a une étoile à huit branches sur cette pierre !

Méd'hor pivota si vite sur sa mauvaise jambe qu'il faillit se casser la figure. Ilex Minor les rejoignit, ayant entendu Méd'hor jurer, chose impensable de la part du vieux Horrigan. Mirz'ha, qui n'était pas sûr d'avoir bien lu sur les lèvres de Réksopié, s'approcha des étagères en chêne massif.

– Il a raison! s'exclama-t-il. Et dire qu'on ne s'en est pas aperçus avant!

– Ce n'est pas surprenant, remarqua Ilex Minor. Dans cette quasi-obscurité, il est difficile de distinguer le dessin. Copiraille est le seul à s'être intéressé à la bibliothèque et nous savons que ses yeux sont fatigués.

Le Devin Supérieur examina l'étoile de plus près. Il était intrigué par le trait presque maladroit. Au toucher, on sentait que la gravure était très superficielle.

– Cela ne date pas des Anciens, conclut-il. C'est beaucoup plus récent!

– Mais qui d'autre aurait... commença Méd'hor.

– Vous avez sans doute noté que j'ai un esprit logique, l'interrompit Ilex Minor en souriant.

Puis il fit une démonstration à sa manière qui laissa pantois ses auditeurs. D'abord, il était avéré que les Vénérables Anciens n'avaient jamais pu ouvrir la serrure aux verrous multiples. En revanche, même s'ils n'y étaient pas les bienvenus, ils avaient probablement accès à l'étage d'habitation des Honorables. Une fois Gravatte morte, qu'est-ce qui aurait pu les empêcher d'investir les lieux?

– Je ne vous suis pas, dit Méd'hor.

– Il y a un escalier, répondit Ilex Minor.

Sans hésiter, il enfonça la pierre. Le mur tourna, révélant… un escalier.

– Les Vénérables ignoraient peut-être son existence. Je ne peux pas le prouver, cependant j'imagine qu'ils ne sont pas parvenus à entrer dans le sanctuaire. En tout cas, s'ils n'ont pas trouvé ce passage, c'est parce que rien ne le signalait !

– Qui a mis l'étoile là, alors ? demanda Tiercefeuille.

– Je ne vois que Miricaï le Grand.

– Le Sorcier qui a tué les quatre dragons ? J'adore cette histoire !

– Qu'est-ce que tu racontes, Chantepleure ?

– Il ne fait pas erreur, Engoulant, répondit Ilex Minor. C'est de lui qu'il s'agit. Quant aux quatre dragons… je me permettrai de penser qu'ils n'ont jamais existé !

– Ben pourquoi ? Tout le monde sait qu'il y a des monstres dans le Royaume du Mal absolu !

– Tais-toi donc, abruti ! grommela Tiercefeuille. Assez perdu de temps ! On y va ? En espérant que ces marches nous mènent vers la sortie !

L'escalier en colimaçon n'allait que vers le haut. On y étouffait tant il était étroit. Péniblement, ils montèrent à la queue leu leu. Leur ascension fut agrémentée par les cris de Loudana. Elle ne supportait pas les toiles d'araignée qui s'emmêlaient dans sa chevelure. Ilex Minor remarqua le boyau découvert par Siki-Siki. Cela raviva son inquiétude et il accéléra le pas. Tiercefeuille était en tête. Soufflant et transpirant comme un bœuf, il gardait un rythme soutenu car il ne voulait pas perdre la face. Les pauvres Horrigans étaient à la traîne.

L'Engoulant se heurta à un mur et lâcha un juron de frustration. Il promena sa lanterne à la recherche d'un mécanisme. Il fut rassuré en voyant les poids, identiques à ceux dans la chambre de Gravatte. Les systèmes de fermeture n'étaient dissimulés que d'un côté. En effet, il était inutile de les cacher de l'autre ! Tiercefeuille posa sa lanterne et tira activement sur une des chaînes. Il s'emplit les poumons d'une grande bouffée d'air froid. Il se tenait sur le chemin de ronde.

– Je m'incline devant les architectes de Lur, dit-il à Ilex Minor. Foutre de construction !

Le Devin Supérieur s'informa auprès d'Omoa, qui connaissait bien les lieux. Il apprit qu'il était possible de rallier l'antre de Froideneige sans emprunter les couloirs habituels. De là, on pouvait accéder au jardin. Le soleil commençait à décliner. Située au cœur des collines, la forteresse était toujours prématurément plongée dans l'obscurité. Un élément dont il fallait tenir compte.

Ils redoublèrent de prudence en descendant vers les cellules. Le silence régnait, presque angoissant. Ilex Minor redoutait d'arriver trop tard. Tiercefeuille fut soulagé dès qu'il récupéra son badelaire. Il ne devrait jamais plus s'en séparer à l'avenir ! Le muletier insista pour avoir une arme. Ses Maîtres étaient en danger et il refusait de rester à l'arrière avec Loudana.

– Comment allons-nous nous y prendre ? demanda Méd'hor. On ignore où ils sont.

– En bas, répondit Tiercefeuille. Je parie qu'ils sont en train de dévaliser la cuisine. Morte corne ! On a oublié cet imbécile de Trago !

– On ne peut plus rien y faire, constata Ilex Minor. Donnez-moi une épée. J'avoue que je ne suis pas un excellent guerrier mais j'ai été formé à Marlane.

Tiercefeuille réfléchit à la stratégie. Il était l'Engoulant de la Confrérie, tout de même ! Il envoya Gris-Corbin en éclaireur. Le Chef Barre était assez bon dans ce genre d'exercice. Il réapparut peu après, les yeux brillants d'excitation.

– Tiercefeuille ne s'est pas trompé. Ils mangent! J'en ai compté onze.

– Siki-Siki? Les Vénérables? s'inquiéta Ilex Minor.

– Ça va pour le moment. Je ne crois pas qu'on les ait attachés. J'ai gardé le meilleur pour la fin: la porte et les grandes fenêtres du réfectoire sont ouvertes.

– Il va faire noir, dit Ilex Minor. Nous devons agir sans attendre.

– Ouvertes… murmura Tiercefeuille.

Puis il eut un sourire carnassier et regarda Méd'hor.

*
* *

Le colosse avait un appétit à la mesure de sa taille. Il ne tolérait aucune conversation. Ça nuisait à la bonne digestion. Il n'avait pas donné davantage d'explications, se contentant de menaces si on ne lui obéissait pas.

Il s'étira voluptueusement. Son estomac était enfin satisfait. Il se leva de table, la contourna pour rejoindre Siki-Siki.

– Que fait une native de T'Noor aussi loin de chez elle? demanda-t-il.

– Je voyage. C'est interdit ?

– Vous avez de drôles de fréquentations pour une jolie fille... Des Maîtres Sorciers !

Karzel tressaillit quand la brute caressa les cheveux de Siki-Siki. Celle-ci secoua la tête pour se dégager.

– Au moins, ils ne se permettent pas des gestes déplacés ! répliqua-t-elle.

Les brigands s'esclaffèrent et encouragèrent leur chef.

– Montre-lui qui commande ici ! Elle se prend pour une princesse !

Le colosse répondit en riant qu'il aimait les femmes de caractère. On s'amusait beaucoup plus... Il avança son énorme main vers Siki-Siki. Son visage se contracta soudain et il s'immobilisa. Ses compagnons ne comprirent pas ce qui se passait. Ils ne réagirent qu'au moment où l'un d'eux s'effondra, la gorge transpercée par une flèche. Karzel s'empara d'un couteau encore planté dans une miche de pain et bondit hors du banc. Ne voulant pas servir d'otage, Siki-Siki se glissa sous la table. Copiraille, le front trempé de sueur, la rejoignit.

Les Frères et les Horrigans jaillirent dans le réfectoire en hurlant. Tiercefeuille tranchait dans le vif en chantant : « Elle préfère le capitaine, diguediguedondaine ! » Gris-Corbin n'était pas en reste pour hacher menu. Chantepleure réussit à planter son badelaire dans la panse d'un gros barbu. On avait osé toucher à sa Siki-Siki chérie !

Froideneige écrasa un tabouret sur la tête d'un brigand qui avait à peine dégainé son épée. Le Devin Supérieur, en dépit de sa petite taille et de sa maigreur, faisait peur en vociférant des litanies en Langage. Il profita de la confusion pour frapper mortellement son adversaire au flanc. Mirz'ha et Réksopié compensaient leur faiblesse en combattant ensemble. Quand l'un récupérait après un engagement, l'autre attaquait.

Dans le jardin, Méd'hor visait posément avant de tirer. Il devait prendre garde de ne pas blesser ses amis. Omoa lui tendait les flèches, une par une. Un brigand eut la mauvaise idée de vouloir s'échapper par la fenêtre. Méd'hor ne rata pas une si belle occasion.

Karzel faisait un carnage. Armé du seul couteau de cuisine, il tuait à chaque coup porté. Trago s'était réfugié à l'office d'où il observait le Horrigan. Le Maître Sorcier était bien aussi dangereux qu'il l'avait toujours pensé.

Dystar était assis et patientait, imperturbable. Puis il y eut un grand silence. Les brigands gisaient dans une mare de sang. Tous sauf un. Le colosse était encore d'aplomb, dans la même position crispée. Siki-Siki s'extirpa de sa cachette et le regarda avec des yeux ronds. D'un doigt, elle le poussa et il s'écroula sur le sol. Atteint dans le dos par Méd'hor, il était mort debout!

– Qui sont ces gens et pourquoi les a-t-on occis? demanda Réksopié. Oui, je sais: pas maintenant.

– Qui ils sont, c'est une bonne question, remarqua Froideneige.

– Celui qui est parti a reçu l'ordre de prévenir le Prince, dit Copiraille. C'est ce que j'ai entendu. De quel prince il s'agit, ça, je l'ignore.

– Je parie sur Acer, répondit Karzel. Ces gars-là étaient des mercenaires. Ils devaient faire partie de l'armée de Sambuc.

– Pourquoi Acer les a-t-il envoyés ici? s'étonna Siki-Siki. Si le but était de se débarrasser des Vénérables, on ne serait plus vivants à l'heure qu'il est!

– Je ne comprends pas, avoua Dystar. Bon... ça fait désordre, ces cadavres partout.

– Qu'on les jette dans le ravin! s'écria Copiraille. Et empressons-nous de faire tourner le pont! Nous devrions être plus méfiants.

– Ils ont dû laisser leurs montures quelque part

dans les collines, supposa Karzel. Je vais les chercher. On trouvera peut-être des choses intéressantes dans leurs sacoches. En tout cas, cela remet en question notre départ. Il me paraît imprudent de se rendre à Hibah.

Siki-Siki ne protesta pas parce qu'elle sentait venir la nausée. Elle sortit pour respirer un peu d'air frais.

Karzel ne se trompait pas. Acer était le commanditaire de l'attaque. Il avait hésité à se séparer d'une partie des mercenaires qui le protégeaient. Mais la raison n'avait pas toujours l'ascendant sur l'envie. Sambuc avait confié à son gendre qu'il y avait un trésor à Lur. Acer l'avait cru. Il rêvait de ce magot, forcément fabuleux, que possédaient les Maîtres Sorciers.

Sambuc avait mal interprété les paroles de la mère de Mélipona. Sa seconde épouse, qui aimait tant les livres, ne songeait pas à de l'or et des bijoux! L'immense trésor de Lur, comme elle l'avait appelé, c'étaient les *Actes* de Gravatte.

Chapitre 10
Le Lampadéphore

Prunelle eut un brusque mouvement de recul et agita les oreilles dans tous les sens. Finn le rassura de la voix. L'âne reconnaissait les pavés de la ville. Il avait été battu par le palefrenier de Gupta et il ne l'avait pas oublié.

– Qu'est-ce que ça pue ! grogna le Singulier. J'ai l'odorat délicat, moi !

Il se frotta le nez sur sa manche, par habitude. Il n'était plus enrhumé. Finn se souvenait des ruelles sales et grouillantes de miséreux. Mais il s'étonnait de trouver des familles entières dans la grande rue qui menait au marché, à la nuit tombante. Les malheureux étaient couchés par terre, au milieu d'un amoncellement de vieux sacs rapiécés. Les enfants aux yeux cernés de noir étaient prostrés, preuve qu'ils souffraient de la faim. Ils s'agitaient soudain, pris par une quinte de toux. Le Singulier repéra une auberge et se réjouit à la perspective d'un lit confortable. Finn choisit un homme isolé dans un recoin et s'adressa à lui.

– Salutations, dit-il. Pardonnez-moi de vous déranger. Je suis déjà venu à Candrelar et je suis un peu troublé... Pourquoi êtes-vous dehors avec vos affaires ?

– Parce qu'on a pris ma maison.

– Quoi? s'écria Finn, interloqué. Pour quelle raison ?

– À cause de cette maudite guerre. Les drapiers ont ramené les vers à soie et ils ont réquisitionné tous les bâtiments autour des manufactures pour les mettre à l'abri !

Finn plissa les paupières et laissa le Lampadéphore envahir ses pensées. Les vers à soie comptaient plus que les hommes. Ils étaient plus précieux que la vie d'un enfant. Il était temps de corriger cette aberration. Finn tourna les talons et rejoignit le Singulier, qui l'attendait avec les bêtes.

– Pas la peine de m'expliquer, pet de crapaud. Tu fais ta tête à problèmes.

L'expression amusa Finn. Il répondit qu'il faisait sa tête à solutions. Il conduisit Brume et Prunelle dans l'étable de l'auberge. Il fut surpris en découvrant une douzaine de personnes installées dans l'écurie. Il apprit que le propriétaire les autorisait à partager le foin avec les animaux. Il y avait aussi de braves gens, à Candrelar...

En aparté, le Singulier conseilla à Finn de ne pas laisser ses sacoches avec cette bande de voleurs. En tout cas, lui, il emportait son nain en porcelaine ! Finn haussa les épaules. Alors qu'il délestait Prunelle de son chargement, un bébé se mit à pleurer. Sa mère essaya de le calmer en le berçant. Un jeune garçon se leva d'un bond et marcha jusqu'à la porte.

– Où vas-tu ? demanda la mère.

– Mendier ! Tu n'as plus de lait pour mon petit frère parce que tu n'as rien à manger !

– Il fait nuit. Reviens ici.

Le Singulier devint tout blanc. Une maman qui n'avait plus de lait ! Peut-être pensa-t-il alors à sa propre mère, qui fut la seule à lui donner un peu d'amour dans son enfance. Il regarda Finn et dit une chose incroyable venant de sa part.

– Je voudrais les besants que j'ai gagnés à la rosette. Je vais leur acheter de la nourriture.

Finn lui promit de s'en occuper. Il s'inquiétait des sanglots du bébé, entrecoupés de toussotements douloureux. Il s'agenouilla près de lui et vérifia la température de son front. Il posa l'oreille sur sa poitrine et écouta son souffle.

– C'est la fièvre qui le rend malade. On l'a tous attrapée, dit la mère.

– Il ne s'agit pas d'une simple fièvre. Vous avez le pertussis, c'est contagieux et c'est grave. Est-ce qu'il a vomi ?

– C'est arrivé une fois.

Finn sentit l'enfant convulser sous ses doigts. Il écarta la couverture crasseuse et souleva le vêtement de bourras*. Finn massa le buste fermement du bas vers le haut. La mère poussa un cri en voyant du liquide sortir par la bouche de son petit garçon. Finn ne s'arrêta pas pour autant. Sous la pression, le bébé expulsa les mucosités qui l'empêchaient de respirer. Puis il eut un soupir comme s'il était soulagé. Il agita ses pieds dans l'air et sourit à Finn. Les membres de la famille s'exclamèrent de stupéfaction.

– C'est un grand Sorcier, affirma le Singulier.

Finn ne savait pas pourquoi il avait agi ainsi. Il s'était abandonné au Lampadéphore, sans crainte et en toute sérénité. Ça lui plaisait de plus en plus de

* Toile grise et grossière.

cohabiter avec celui-là ! Il demanda son sac de remèdes au Singulier ainsi que l'étoffe en coton qui avait enveloppé la tourte de Chérama. Il prit un flacon contenant une potion de couleur violette et trempa un coin du linge dedans.

– C'est du sirop de racines d'orties et de miel. C'est ce qu'il y a de meilleur contre le pertussis. Ensuite, j'irai à l'auberge et je préparerai une tisane de plantain lancéolé pour faire baisser la fièvre. Et pour vous, une infusion de graines de basilic pour favoriser la lactation.

Le bébé tétait le tissu avec bonheur. Le goût était sucré et il aimait ça !

– Nous ne pouvons pas vous payer, dit le père.

– Je suis un Maître Herboriste, répondit Finn. Je ne fais que mon devoir.

*
* *

L'aubergiste, figé sur place, laissa pendre sa lèvre inférieure.

– Combien ? répéta Finn.

– Beuh... Vous voulez vraiment la marmite ? Entière ?

– Et les cinq pains de fougères. Vos deux poulets rôtis.

– Qu'est-ce que vous allez faire de tout ça ?

– Moi ? Rien. Un pain et les volailles vont dans votre écurie. Le reste, dehors.

Un des rares clients se mêla à la conversation. Quand il comprit ce que Finn avait l'intention de faire, il offrit ses services pour distribuer la nourriture. L'aubergiste réclama trois besants d'argent, un prix raisonnable. Finn lui demanda ensuite l'autorisation d'utiliser sa cuisine. Apprenant qu'il avait affaire à un guérisseur, l'aubergiste proposa à Finn le gîte et le couvert en échange d'un remède pour sa fille malade.

L'apparition de la marmite au milieu de la rue attira vite la foule. Finn se montra ferme : les enfants passaient en premier. Chacun amena son bol ou son écuelle. Un peu de soupe et un morceau de pain ne remplissaient pas un ventre affamé. Mais ça faisait du bien.

La louche racla le fond du récipient. Le Singulier y plongea le nez.

– Vide ! Et il y a encore plusieurs gamins qui attendent !

Il se détourna pour renifler et prétendit que son rhume n'était pas fini. Le Lampadéphore ne changeait pas que les choses. Il changeait aussi les gens.

L'aubergiste n'avait pas beaucoup de provisions. La guerre et le siège de Candrelar avaient dissuadé les étrangers de voyager. Le commerce en avait pâti.

– Je n'ai plus que des noisettes et un gros panier de psalliotes récoltées ce matin.

– C'est quoi, ça ? dit le Singulier.

– Des champignons qui poussent par ici. Je peux les faire frire avec la graisse de poulet. C'est cadeau de la maison.

Finn sourit. On donna les noisettes aux adultes et quelques-uns eurent les dernières tranches de pain. En attendant la fricassée de psalliotes, on commença à parler. Finn intriguait. Pourquoi s'intéressait-il à leur sort ?

– Je suis venu pour vous aider... à vous aider vous-mêmes ! répondit Finn.

À cet instant, il aperçut un homme qui restait à l'écart, les bras croisés. Celui-ci avait les yeux fixés sur lui.

– Tiens donc ! s'écria-t-il soudain.

Finn le regarda sans ciller puis reprit :

– Pour le moment, je vais faire bouillir de l'eau et préparer de la tisane en quantité. Vous êtes tous atteints par le pertussis et il faut empêcher l'épidémie de se propager davantage.

La nuit fut longue pour Finn. Il soigna les jeunes enfants en les massant, réservant le sirop d'orties aux plus malades. L'infusion de plantain lancéolé soulageait et réchauffait. Heureusement, il en avait en quantité. La plante était très répandue dans les comtés. L'inconnu surveillait toujours Finn, immobile dans son coin. Le Singulier s'était endormi sur une table. L'aubergiste s'occupait de sa fille que Finn avait trouvée déshydratée par les vomissements. Il lui faisait boire souvent un mélange de camomille, de sureau noir et de cynorrhodon.

Avant le matin, les gens s'activèrent soudain. Finn demanda ce qui se passait.

– Nous allons travailler ! Nous sommes tisserands.

– Vous avez un travail ! s'exclama Finn. Comment se fait-il que vous n'ayez pas de quoi vous nourrir ?

– C'est à cause de la guerre. Nous ne sommes plus payés.

On lui expliqua, sur le ton de la leçon bien apprise, que les méchants Princes d'Hibah empêchaient les caravanes de circuler et que les pauvres drapiers ne gagnaient plus d'argent. Tout le monde devait fournir un effort dans ces temps difficiles. En entendant cela, Finn chercha en lui la fureur du Frélampier. Ni la colère ni la haine n'existaient dans le Lampadéphore. En revanche, un sentiment de puissance absolue prédominait.

Finn réveilla le Singulier. Celui-ci râla d'autant plus qu'il dut porter les besaces.

– Chuis pas ton âne ! Et pourquoi tu veux emmener toute ta pharmacopée ?

– Parce que je peux en avoir besoin. Allez, dépêche-toi. Ils vont nous semer si on ne se presse pas.

Ils suivirent les tisserands au travers d'un dédale de ruelles. Finn ne connaissait pas cette partie de la ville. Les filatures et les teintureries aux odeurs nauséabondes étaient situées le plus loin possible des somptueux palais. Le Singulier accusa Finn de faire exprès de l'emmener dans des endroits puants.

Les gens, en file, attendaient l'ouverture de la manufacture. Leurs visages étaient tristes, pâles et résignés. Finn prit une grande inspiration puis les apostropha :

– Pourquoi êtes-vous là si on ne vous paie pas ?

Certains se détournèrent, d'autres lui jetèrent de brefs regards effarés.

– Les drapiers vous exploitent, continua Finn. Et ils vous mentent ! Les caravanes circulent dans le comté, je les ai vues !

– Éloignez-vous ! lui cria quelqu'un.

Un vieillard fatigué lui conseilla de se taire. Les chefs d'équipe risquaient de l'entendre et de le faire emprisonner par la Garde.

– Quelle Garde ? demanda Finn. Vous parlez de ces trois égarés qui toussent devant l'entrée ?

– Ça ne les empêchera pas de t'arrêter.

Finn reconnut l'homme qui l'avait observé toute la nuit.

– Comment vous appelez-vous ?

– Roch'Ambeau. Alors c'est de cette façon que tu comptes nous aider ?

– Comme je l'ai déjà dit : aidez-vous vous-mêmes ! Vous êtes cent fois plus nombreux que les drapiers et les soldats. Refusez de travailler !

– Vous êtes fou ! s'exclama un borgne. Vous voyez ma cicatrice ? C'est ce que j'ai récolté la fois où je suis arrivé en retard parce que ma femme avait accouché ! Et j'ai eu de la chance, on ne m'a pas renvoyé !

– Réfléchissez un peu ! rétorqua Finn. L'armée est partie ! Fermez les portes de la ville et vous en serez maîtres !

Un murmure parcourut la foule. Finn avait attiré l'attention. Le vieillard hocha la tête.

– Et la Guilde ? Vous croyez qu'elle ne va pas réagir ?

– Quelques drapiers obèses ? Allons donc ! Des enfants avec des lance-pierres en viendraient à bout !

– Vous oubliez les mercenaires, remarqua Roch'Ambeau.

– Laissez-les-moi, je m'en charge.

– Chut ! Chut ! fit le vieil homme. Les soldats viennent par ici !

Tout le monde reprit sa place, le front baissé et le dos courbé. Des décennies de servitude donnaient de curieux réflexes…

– Eh, toi ! Pourquoi es-tu sorti de la file ?

– Salutations, répondit Finn. Je ne suis pas tisserand. Je suis venu sur ordre pour vous soigner du pertussis.

– Ordre de qui ?

– De mon ami Gupta. Je suis son guérisseur personnel.

– Depuis quand Gupta s'intéresse-t-il à notre sort ? dit un des Gardes avant d'être saisi d'une quinte de toux.

– Oh, je vous rassure, il ne s'y intéresse pas ! ricana Finn. Mais il n'est pas stupide. Qui, à part vous, protège Candrelar en l'absence du capitaine

Dorn ? Et qui vous remplacera si vous êtes malades à crever ?

– J'admets que ça poserait problème… On n'est déjà pas nombreux et toute la caserne tousse !

– Nombreux combien ? demanda Finn d'un air dégagé. Il faut que je sache quelle quantité de potion je dois préparer.

– Quatre quarts de sentinelles. Ça fait, heu… dix par quart… ça fait, heu…

– Quarante, je suppose. Assistant ! Donne-moi le sirop de ronce et l'illustre poudre.

– L'illustre poudre ? répéta le Singulier. Tu… Vous êtes sûr, Maître ?

Comme Finn lui faisait de gros yeux, il s'empressa de fouiller dans sa besace et ajouta :

– Je veux dire : c'est bien celle-là ?

– Évidemment, abruti ! On ne trouve plus de bons apprentis de nos jours, c'est déplorable.

Finn s'appliqua à mélanger la drogue avec le sirop dans une timbale. Il recommanda ensuite aux Gardes de ne boire que deux gorgées. Ce qu'ils firent sans aucune méfiance, car Finn proposait de concocter des tisanes pour leurs familles.

– Rien de tel qu'un peu de repos, remarqua Finn au moment où les soldats s'effondraient par terre.

– Plus que trente-sept, calcula le Singulier.

L'événement provoqua un mouvement de panique parmi les tisserands. Pourtant, Roch'Ambeau et le vieillard restèrent calmes. Beaucoup trop, pensa Finn.

– Un Sorcier ! C'est un Sorcier ! hurla-t-on dans la foule.

L'agitation soudaine attira les chefs d'équipe occupés à réguler l'entrée de la manufacture. Le Singulier rit de leurs expressions de stupeur quand ils découvrirent les corps étendus.

– Ah ! Je crois que tu es repéré, pet de crapaud ! J'imagine que c'est ce que tu voulais ?

Finn ne lui répondit pas. Voilà qu'une douzaine d'hommes sortis de nulle part se tenaient aux côtés de Roch'Ambeau... Finn s'adressa aux chefs avec un grand sourire.

– J'ai le regret de vous annoncer que le travail ne sera pas fait aujourd'hui !

Puis il se tourna vers Roch'Ambeau et les autres, une vingtaine à présent.

– C'est à vous, maintenant.

Des capes rapiécées jaillirent couteaux, cordes et hachettes.

Chapitre 11
Maître de la ville

– Manque un peu de technique, commenta le Singulier, mais y a de l'idée…

En compagnie de Finn, il regardait Roch'Ambeau et ses amis courir derrière les chefs d'équipe, les armes à la main. Bientôt rattrapés, ceux-ci furent jetés sur les pavés et ligotés. On les frappa à coups de pied. Finn jugea préférable d'arrêter les agresseurs avant qu'un crime ne fût commis.

– Assez ! ordonna-t-il. Ce ne sont que des employés, comme les soldats. Ne vous trompez pas d'ennemis !

– Ils nous maltraitent et nous terrorisent ! rétorqua le vieillard.

– Ne valez-vous pas mieux qu'eux? Est vraiment grand celui qui pardonne.

– Qui es-tu pour nous donner des leçons? demanda un jeune homme. Tu n'es même pas d'ici!

– Réponds à ta propre question. Pourquoi m'avoir attendu, alors que de toute évidence vous étiez prêts?

Finn s'adressait à Roch'Ambeau. Celui-ci l'avait observé une nuit entière, ce n'était pas sans raison…

– Mon frère est geôlier, expliqua Roch'Ambeau. Depuis peu, il y a des prisonniers amenés de Damalone. Comme il s'étonnait de leur sérénité, l'un d'eux lui a dit qu'ils étaient sous la protection d'un Maître Sorcier. Si puissant, paraît-il, qu'ils n'ont rien à craindre! Je n'y croyais pas… jusqu'à ce que tu arrives. Tu as soigné les enfants en imposant les mains. Seul un Sorcier peut faire une telle chose!

– Les Chéramie sont des sages, remarqua Finn. Et vous? Me faites-vous confiance?

– Je ne sais que penser de toi, avoua le vieillard. Que veux-tu?

– Je veux Candrelar.

– C'est tout? railla un tisserand.

Les travailleurs s'étaient approchés. Privés de leurs chefs d'équipe, ils hésitaient sur la conduite à suivre.

– Oui, c'est tout! Venez avec moi et la ville vous appartiendra.

– À nous ? Ou à toi ? demanda Roch'Ambeau.

Le Singulier vit la lueur verte dans les yeux gris de Finn et blêmit. L'expérience lui avait appris que c'était un signe des plus inquiétants.

– Ça dépend, répondit froidement Finn. Si vous m'écoutez, vous aurez plus que vous n'espérez. Décevez-moi et je ne laisserai ici que des ruines.

– C'est la vérité ! affirma le Singulier. Il peut vous détruire !

Quelqu'un ricana. D'autres haussèrent les épaules.

– Et si on lui tranchait la gorge sur-le-champ pour tester sa magie ? dit une voix.

Des cris de haine et de fureur retentirent. On voulait tuer Finn, on voulait tuer les drapiers ! La colère retenue depuis tant d'années faisait perdre la tête aux plus raisonnables. Roch'Ambeau essayait de rétablir le calme mais on ne contrôlait pas une foule prise de folie.

– Cours ! conseilla Finn au Singulier.

Et de ses doigts surgit un épais nuage rouge qui s'abattit sur les gens. Tout le monde se mit à tousser, à cracher et à pleurer. Et quand la nuée fut enfin dissipée, Finn et le nain avaient disparu.

*
* *

– Tu me surprendras toujours ! s'exclama le Singulier. C'était quoi, ça ?

– Un petit cadeau, plaisanta Finn. Histoire de leur montrer ce dont je suis capable !

À l'abri sous un porche, ils reprenaient haleine après une course effrénée.

– Tu l'avais caché dans ta chemise, ton cadeau. C'est donc que tu te méfiais.

Finn acquiesça. Il était assez content de lui. Il n'avait jamais eu l'occasion d'utiliser la poudre du Renégat et il n'était pas sûr de savoir s'en servir.

– On s'en va ? Ils ne méritent pas ton aide !

– Ce n'est pas parce qu'ils sont stupides que je vais renoncer !

– J'aurais dû m'en douter, soupira le Singulier. Tu as un plan ? Je parie que non.

– Oh si… Nous allons rendre visite à mon ami Gupta.

– Quel genre d'ami est-il ?

– Le genre à me faire pendre. Rien de sérieux, en somme.

Le nain resta bouche bée.

Finn lui raconta son précédent séjour à Candrelar, tout en inspectant les alentours. On ne les avait pas suivis, ce qui n'empêchait pas la prudence. Il ne fallait pas qu'ils s'attardent trop dans le labyrinthe du quartier pauvre.

On repérait facilement les palais dont les toits et les coupoles dépassaient des masures. Finn constata que la bêtise des drapiers était à la mesure de leurs fortunes. Les jardins n'étaient clôturés que par des haies d'arbustes, des colonnes et des portiques monumentaux. Personne ne les surveillait. Devant le pavillon d'hiver de Gupta, des miséreux fouillaient les détritus abandonnés au milieu de la rue. À l'approche de Finn, ils eurent des gestes menaçants.

– Je ne veux pas vous prendre la nourriture, dit Finn. Je veux juste me faire une idée du régime de Gupta, ces jours-ci..

L'un des hommes lui montra des os de mouton et des feuilles défraîchies. Finn reconnut les plantes. Il sourit et remercia. Le Singulier lui demanda en quoi ça l'intéressait. Finn ricana.

– Gupta est un bon client pour la goutte. Les épinards sauvages sont fortement déconseillés ! Avec un peu de chance, il est souffrant ! Donne-moi les sacs et attends-moi ici.

Le Singulier ne se fit pas prier. Finn traversa le jardin sans rencontrer âme qui vive. L'intérieur de la demeure était aussi laid que dans ses souvenirs. Un serviteur chargé d'un plateau surgit des cuisines. Finn le salua et s'informa auprès de lui. Il apprit, sans surprise, que Gupta était encore couché.

– Vous lui portez du potage ? s'étonna Finn.

– Le maître se sent très faible, ce matin. Il ne désire que de la soupe à l'oseille. C'est sa préférée.

– Ça ne ferait qu'aggraver son état !

Le serviteur hésita puis répondit qu'il ne lui appartenait pas de décider. Finn lui emboîta le pas en lui expliquant qu'il venait pour soigner le drapier. La chambre de celui-ci était gardée par deux mercenaires. Ils arrêtèrent Finn, qui leur proposa d'entrer avec lui s'ils ne lui faisaient pas confiance.

Gupta était étendu sur son lit, la jambe droite reposant sur des coussins. Une crise de goutte, devina Finn.

Le drapier tourna la tête et poussa une exclamation de stupéfaction. Finn s'empressa de prendre les devants. Il ouvrit grand les bras et s'avança.

– Mon cher ami ! Enfin, je vous retrouve ! Ah, quelle aventure ! Quelle aventure !

– Quoi ? Quoi ? balbutia Gupta.

Finn laissa choir ses besaces et s'assit sans façon sur un gros pouf.

– J'ai bien cru que jamais je ne pourrais revenir.

Imaginez les tourments que j'ai dû subir ! J'étais sur le chemin du retour après l'enterrement du Devin Supérieur et voilà qu'un Traban me rattrape. Le Baron de T'Noor l'avait envoyé après moi avec de terribles nouvelles. Cet exécrable Sambuc ! Que son immonde Splendeur soit dévorée par les vers ! Cette abjecte pourriture avait massacré ses invités, de si honorables membres de la Guilde… et voulait assassiner tous les Sorciers ! Heureusement, j'ai pu me réfugier à la baronnie pendant quelque temps. Alors que je croyais possible de vous rejoindre, l'armée d'Hibah a assiégé Candrelar, ruinant ainsi mes espoirs. J'ai dû renoncer à nouveau. Ah ! J'étais mort d'inquiétude à votre sujet !

Gupta, assailli par ce flot de paroles, ne savait plus que penser.

– Mais… mes hommes devaient vous ramener !

– Qui ? demanda Finn, feignant l'incompréhension.

– On ne les a pas revus ! Qu'avez-vous fait d'eux ?

– J'ignore de quoi vous parlez, mon ami. Vous n'avez pas l'intention de manger ça ? Non, non, non ! Vous, là, au lieu de bayer aux corneilles, allez faire chauffer de l'eau en grande quantité. Je vais concocter une tisane de racine de bardane et de bouleau. Et un bain de paille d'avoine pour soulager votre pied.

Gupta avait si mal qu'il en oublia ses griefs et ses interrogations. Il fit signe au serviteur d'obéir. Cependant, il ne chassa pas les deux mercenaires. Ce qui arrangeait Finn !

– Cette ville est dans un état désastreux, reprit Finn. Depuis mon arrivée, je n'ai fait que croiser des miséreux crachant leurs poumons. Le pertussis. J'ai crainte que l'épidémie ne se propage par ici.

Finn se pencha brusquement en avant et fit mine d'examiner le visage de Gupta, couperosé de stries violacées.

– D'ailleurs, je vous trouve un peu pâle... remarqua-t-il.

– Vraiment ? s'affola le drapier.

– Êtes-vous fébrile ? Avez-vous des nausées ?

– Oui, oui ! affirma Gupta, de plus en plus anxieux.

Finn opina gravement de la tête. Il ne prenait guère de risques ! Les excès alimentaires de son hôte suffisaient à expliquer ses symptômes. Du coin de l'œil, Finn observait les réactions des deux gardes.

– Le pertussis est une terrible maladie. J'ai vu les ravages dans le comté d'Anabé. Les cadavres jonchaient la campagne. Désespérés, les gens abandonnaient leurs maisons ! Seule la fuite pouvait les sauver. Hélas, il n'existe pas de remède efficace.

Finn se tapa sur les cuisses et afficha un air enjoué.

– Allons ! Je ne veux pas vous alarmer !

Puis, le sourcil levé, il ajouta :

– Aucun de vos domestiques ne tousse, n'est-ce pas ?

– Si ! s'écria un des mercenaires. Le cuisinier ! Je l'ai entendu !

– Ah ! Voilà qui est contrariant. Le pertussis est fort contagieux. Je vais, de ce pas, ausculter ce moribond... je veux dire : ce cuisinier !

Finn quitta la chambre avec les gardes, laissant Gupta tout à ses angoisses. Il profita de l'occasion pour dresser un tableau sinistre des conséquences de la maladie sur les survivants. Faiblesse extrême, souffle pénible, digestion douloureuse, perte probable de la vue... beaucoup de souffrances et peu de chances de vivre longtemps.

Quand ils arrivèrent aux cuisines, les mercenaires étaient livides. Leurs compagnons d'armes prenaient leur premier repas de la journée. Finn repéra son futur patient à ses yeux larmoyants. Il ramassa une serviette sur une table et la noua autour de sa bouche et de son nez. Puis il s'empara d'un balai, sous les regards effarés des personnes présentes. Poussant le malheureux cuisinier avec l'extrémité du balai, Finn lui intima l'ordre de passer à l'office. L'homme protesta en vain du traitement. Dès qu'ils furent seuls, Finn lui demanda comment il se portait.

– Ben, c'est doujours bareil en cette saison. J'ai les baubières gonflées et je beux plus resbirer. C'est comme un gros rhube en bire.

– Ça vous plairait de vous reposer aujourd'hui ?

– C'est quoi, cette blaisanterie ?

– Ce n'en est pas une. Vous n'êtes pas en état de travailler ! Ne vous en faites pas, on ne vous reprochera rien. Sortez par là. Restez à l'écart des autres et vous n'aurez aucun problème.

– C'est vrai ? Je beux aller me recoucher ?

Finn lui assura qu'il ne risquait pas de perdre sa place. Trop heureux de l'aubaine, le cuisinier ne s'attarda pas et s'éclipsa par le jardin. Finn fut pris de fou rire. Il se contrôla, reprit une mine de circonstance et retourna dans la cuisine. Les mercenaires semblaient l'attendre. Ils avaient perdu l'appétit.

– Pauvre homme, dit Finn en ôtant le linge de son visage. Je ne lui donne guère plus d'une semaine.

Il suffit de ces quelques mots. En une seconde, les lieux étaient déserts.

– Ah… murmura Finn. Je ne croyais pas qu'il était possible de courir aussi vite.

Le serviteur de Gupta se présenta à cet instant et s'étonna de ne plus voir les gardes.

– Une affaire urgente, expliqua Finn. Et mon eau chaude ?

– Elle bout dans l'âtre. Vous ne l'entendez pas ?

Finn prépara le bain de paille d'avoine et chargea le domestique de le porter à son maître. Dans une aiguière, il mélangea des herbes. Par la fenêtre, il aperçut les mercenaires filer à cheval. Ce porc de Gupta était désormais à sa merci.

Il trouva le drapier le pied trempant dans la bassine. Finn ferma la porte derrière lui.

– Alors ? demanda anxieusement Gupta.

– Hum ? Ah oui, le cuisinier ! Je l'ai isolé par précaution. Il est trop tôt pour se prononcer. Voilà votre tisane.

– Oui, oui, mais le pertussis ? Et si je l'ai attrapé ?

– Faites-moi confiance. J'ai un puissant remède. Je ne pouvais pas vous en parler devant témoins car, hélas, je ne dispose que de très peu de cet élixir. Certaines plantes sont si rares !

– Ah bon, bon ! s'écria Gupta, rasséréné. Beurk ! Elle est infecte, votre mixture. Et… aaaaaaaaah… Je suis très fatigué…

– C'est normal, vous êtes malade. Allez ! Buvez tout !

Un bref moment plus tard, Gupta ronflait comme un bienheureux.

Finn s'assit sur le pouf pour réfléchir. Où le drapier cachait-il sa fortune ? La présence des mercenaires était sans doute dissuasive, il n'en demeurait pas moins que n'importe qui pouvait s'introduire dans le pavillon d'hiver. Terrorisés par la Garde incarnate, les pauvres gens se tenaient à l'écart des palais. La confiance des drapiers touchait à l'inconscience, dans une certaine mesure… car où, ici, trouvait-on des gardes en permanence ? Devant la chambre de leur employeur !

Finn se leva d'un bond.

Il fit le tour de la pièce puis s'arrêta au centre, perplexe.

Il y avait une cassette ouverte sur une table contenant quelques colliers. C'était tout. Finn regarda Gupta. Celui-ci s'était effondré comme une masse sous l'effet de la poudre de torpeur. Un bout de chaîne dépassait du col montant de sa chasuble. Finn tira sur la chaîne et dégagea une clé. Mais qui ouvrait quoi ?

Finn se pencha pour soulever les pans de la couverture. Rien sous le lit.

– Suis-je bête !

Les murs étaient recouverts de tentures de soie, parfaites pour dissimuler une porte. Finn eut tôt fait de découvrir l'entrée d'une petite salle sans fenêtre. Même s'il s'y attendait, il resta ébahi devant tant de richesses. Gupta avait un faible pour les bijoux aussi énormes que lui. Des coffrets regorgeaient de besants d'or et d'argent. Finn en remplit ses besaces. Il déchira ensuite les coussins, les vida de leurs plumes et les utilisa comme sacs.

Finn vérifia que le couloir était désert. Chargé comme un mulet, il se dépêcha de quitter les lieux. Il traversa le jardin au pas de course.

Le Singulier était tranquillement assis sous un arbre.

– Qu'est-ce que c'est que tout ce fourbi ? demanda-t-il.

Essoufflé et trempé de sueur, Finn s'affala à côté de lui.

– Ouf... Ce fourbi, comme tu dis, c'est le moyen de débarrasser Candrelar des mercenaires.

Il expliqua au Singulier ce qu'il comptait faire. La surprise passée, ce dernier le traita de pourri du cerveau.

– Tu vas finir découpé en rondelles, pet de crapaud ! Et… quoi ? Tu espères que je vais t'aider à porter ça, en plus ! Pas question ! Je prends les besaces de remèdes et rien d'autre ! Mais… Hé ! Y a pas que des herbes là-dedans !

– C'est toi qui l'as voulu, ricana Finn. Allez ! Filons d'ici. Première étape : cette espèce de monstrueuse bâtisse rose que j'aperçois.

Le plan de Finn était d'une simplicité confondante : payer les mercenaires pour qu'ils partent. Encore fallait-il y mettre la manière…

*
* *

Les trois hommes en armes lancèrent un regard glauque à ce gamin qui balançait une enveloppe de coussin au bout du bras.

– Où est votre chef, je vous prie ? demanda Finn. J'ai un message de la plus haute importance à lui délivrer.

On lui répondit d'un vague signe de la main. Finn remercia et suivit la direction indiquée. Un colosse au crâne chauve se chauffait au soleil du matin, appuyé au socle d'une statue.

– Salutations.

– Quoi ? Ce que c'est ?

– Je viens vous annoncer que les gardes de Gupta ont tous pris la fuite.

– Et ça m'intéresse ?

– À vous de voir, répliqua Finn. Si vous ne voulez pas savoir pourquoi ils ont filé aussi vite, c'est votre affaire.

– Admettons que ça m'intrigue.

– Les tisserands se sont révoltés. Ils ont tué des soldats et les contremaîtres des manufactures. Le mouvement prend de l'ampleur. Il ne faudra pas longtemps avant que la ville entière ne baigne dans le sang. Sans la Garde incarnate, absente pour cause de guerre, je ne donne pas cher de votre peau.

Le mercenaire eut un sursaut et, instinctivement, scruta les environs.

– Ah ! J'ai comme l'impression que je commence à vous intéresser !

– Ces va-nu-pieds n'oseraient pas s'en prendre à nous !

– Vraiment ? Avez-vous déjà affronté une foule en colère ? Est-ce que ça vaut la peine de mourir pour ces drapiers ? Enfin, moi, ce que j'en dis… Ah, une bonne nouvelle, quand même : vous avez gagné un cadeau de départ.

Finn défit le nœud de la taie et montra le contenu au mercenaire. Le colosse eut un hoquet de surprise.

– Qu'est-ce que…

– Les tisserands vous laissent une chance de vous sauver avec vos compagnons. Et pas les mains vides… C'est gentil de leur part, non ? Mais c'est une occasion à saisir de suite. Dans une heure, ce sera trop tard.

– D'où viennent ces bijoux ?

– Vous n'écoutez pas, déplora Finn. C'est une révolte ! Déjà des maisons ont été attaquées et dévalisées ! Prenez tout ça et enfuyez-vous avant que les portes de Candrelar ne soient fermées ! Si vous ne me croyez pas, allez dans le palais de Gupta. Demandez à parler aux gardes, on vous confirmera qu'ils sont partis précipitamment !

Le mercenaire ne pouvait détacher ses yeux des joyaux. Finn eut un léger sourire.

– Je sais à quoi vous pensez, remarqua-t-il. À vous emparer de ce trésor quoi qu'il advienne.

– Qu'est-ce qui pourrait m'en empêcher ?

– Absolument rien. Posez-vous juste cette

question : serez-vous encore vivant demain pour en profiter ? Peut-être échapperez-vous au massacre. Peut-être ne serez-vous pas blessé, capturé et enfermé dans une prison. Et, allez ! Soyons optimistes ! Peut-être même que vous passerez au travers de l'épidémie de pertussis ! Sacré veinard ! Ah, évidemment, vous pouvez aussi jouer de malchance...

– J'ai toujours eu envie de m'acheter une ferme, dit le mercenaire, rêveur. Dans le comté de T'Noor. J'y avais une bonne amie dans le temps...

Finn prêta une oreille compatissante au colosse qui pleurnichait sur ses amours perdues.

– Ça m'a fait du bien de vous parler, jeune inconnu. Ce n'est pas drôle tous les jours, un métier comme le mien. Les gens nous détestent ou cherchent à nous tuer, les drapiers nous méprisent et nous interdisent de fonder une famille... Et quand on est trop vieux pour tenir une épée, hein ? On nous jette à la rue avec le peu d'argent qu'on a réussi à mettre de côté !

Finn lui tendit le coussin.

– Voilà de quoi vous garantir une vie meilleure.

Le géant acquiesça et le remercia. Très poliment.

*
* *

Le Singulier ricana en voyant les vingt derniers mercenaires de Candrelar traverser les rues au galop. Finn, l'allure tranquille, le rejoignit.

– Tu me surprends encore, pet de crapaud ! Je ne doute pas qu'un beau tas d'or puisse en tenter plus d'un, mais il en faut davantage pour persuader de tels vauriens de tout abandonner !

– Ce qui signifie ? demanda Finn.

– Tu m'as compris. C'est ta parole qui ensorcelle.

– Possible... admit Finn. Aucune importance. Seul le résultat compte. Et maintenant, je suis le maître de cette ville !

– Tu oublies les trente-sept Gardes incarnates.

– Un détail. Que je vais régler de ce pas !

Le Singulier le retint par la manche et pointa le doigt. Un serviteur traversait en hâte le jardin du palais que Finn venait de quitter.

– Il me paraît trop pressé, celui-là.

– Mouais... grommela Finn. C'était à prévoir. Je suppose qu'il va prévenir les soldats.

– On l'assomme ? suggéra le Singulier, la mine réjouie.

– Pas la peine. Il suffit de le suivre.

Le Singulier lui objecta que c'était prendre un

risque inutile. Mais Finn refusait d'avoir recours à la violence s'il pouvait l'éviter.

La garnison était située près des murs d'enceinte. Finn repéra la prison attenante au bâtiment. Il eut une pensée pour les Chéramie qui devaient s'y trouver. Il recommanda au Singulier de l'attendre dans la rue.

Le serviteur discutait avec le lieutenant de la Garde, qui n'avait pas l'air de comprendre grand-chose.

– Puisque je vous dis que les mercenaires se sont enfuis ! s'énervait le serviteur. Vous avez dû les voir passer, non ?

– On les voit passer souvent. Ils rejoignent les caravanes !

– Pas ceux-là et pas tous en même temps !

– Et qu'est-ce que vous voulez que j'y fasse ?

– C'est pas mon problème, c'est le vôtre ! Si mon maître apprend que vous n'avez rien fait... Eh bien ! Débrouillez-vous !

Furieux, le serviteur tourna les talons. Finn le salua en le croisant. Indécis, le Garde incarnate se grattait la tête.

– Qu'y a-t-il encore ? grognait-il.

– Ce brave homme a raison, répondit Finn. Vous avez un problème... des plus sérieux.

– Hein ? fit le lieutenant.

– J'arrive des manufactures, expliqua Finn, le ton grave. C'est terrible !

– Hein ? répéta l'officier.

– Les tisserands et les teinturiers se sont révoltés. C'est pour ça que les mercenaires sont partis. Ils savaient qu'ils n'avaient aucune chance d'en réchapper. Ho, ho ? Vous m'entendez ?

La bouche ouverte, le soldat était pourtant muet.

– Alors, quelles sont vos intentions ? demanda Finn. Si vous en avez... Non ? C'est pourtant simple : ou vous prenez les armes pour mourir avec courage. Ou bien vous vous sauvez et je vous conseille de galoper très, très vite... Vous perdrez tout ce que vous possédez, c'est dommage. Vous pourriez peut-être rejoindre l'armée ? À la réflexion, c'est une mauvaise idée. Le capitaine Dorn vous fera pendre pour avoir déserté votre poste. Ah, là là... Pas facile de se décider.

– Qu'est-ce... qu'est-ce que vous racontez ?

– La vérité, dit sèchement Finn. C'est la fin du règne des drapiers. D'ici quelques heures, Candrelar appartiendra au peuple. Jouez-vous à la rosette ? Eh bien, vous êtes le pion cerné par ceux de votre adversaire. Vous êtes immobilisé. À moins que...

Puisque vous ne pouvez aller nulle part, choisissez de rester !

– Co… co… co… comment ça ? balbutia le lieutenant.

– La ville a besoin d'une garde pour la défendre. Ralliez-vous aux insurgés de votre plein gré.

– Vous êtes fou ! Ils vont me tuer !

Les yeux de Finn s'éclairèrent de vert pour la deuxième fois de la journée. L'étrange couleur s'assombrit puis devint opalescente. L'officier se mit à trembler de peur. Finn ne s'en étonna pas. Le Lampadéphore enflammait son esprit et il se sentait tout-puissant.

– Je vous protégerai. Je suis le plus grand des Maîtres Sorciers et personne n'osera me défier.

Le lieutenant le crut sur parole.

Chapitre 12
Le Conseil du Peuple

Finn hocha la tête puis soupira. Ils étaient pitoyables, ces rebelles. Entassés dans la manufacture, ils n'étaient bons qu'à palabrer sans prendre la moindre décision. Roch'Ambeau essayait d'organiser le mouvement et se heurtait sans cesse aux objections des uns et des autres. En réalité, la plupart des gens n'avaient pas voulu se retrouver en pareille situation. Les chefs d'équipe, ficelés dans un coin, ajoutaient encore au trouble en vociférant des menaces suivies de promesses.

Finn sauta de la pile de caisses sur laquelle il était monté pour espionner par une haute fenêtre. Il fit signe au Singulier et au lieutenant de le rejoindre. Ils marchèrent tous trois jusqu'à l'entrée.

– Même pas capables d'avoir une sentinelle... maugréa Finn.

Il poussa la porte et fit passer l'officier en premier. Il se racla la gorge et lança un « Salutations ! » retentissant. Tout le monde se retourna. Des cris de panique s'élevèrent.

– La Garde ! La Garde !

– Calmez-vous ! ordonna Finn.

– C'est le Sorcier ! Avec les soldats !

– Fermez-la ! hurla Roch'Ambeau. Laissez-le parler !

Finn donna un coup de coude au lieutenant, qui transpirait à grosses gouttes.

– Que ? Quoi ? Ah oui… Heu. Voilà, voilà. Par la volonté de… lui, là… je mets la Garde incarnate au service du Conseil du Peuple.

Le silence qui suivit était lourd de sens : personne n'avait compris. Le lieutenant reprit confiance. Après tout, il était toujours en vie !

– Continuez, l'encouragea Finn.

– Aujourd'hui, vers midi, la Garde incarnate a pro, pro…

– … cédé, souffla Finn.

– … procédé à l'arrestation des membres de la Guilde de la soie. Lesquelles sont, présentement, enfermés à la prison. Je… donc, je soumets la Garde incarnate aux ordres du Conseil du Peuple.

Des murmures parcourent l'assemblée. On hésitait à croire à l'inconcevable.

– Arrêtés ? Les drapiers ? Et les mercenaires ?

– Ah, les mercenaires ! répondit l'officier. Le Maître Sorcier les a tous chassés de la ville !

– Mais enfin, c'est quoi, le Conseil du Peuple ?

– J'en sais rien, moi ! C'est lui qui m'a demandé de dire ça !

Finn écarta les bras dans un grand geste théâtral.

– C'est vous ! déclara-t-il. Vous devez choisir parmi vous ceux qui vous paraissent dignes de diriger. Le Conseil aura la charge de régler les problèmes, de rendre la justice, de commander la Garde.

– Comment on va faire ça ? s'inquiéta Roch'Ambeau.

– Il serait souhaitable que chaque conseiller représente une corporation ou un groupe. Par exemple : un marchand, un tisserand, un aubergiste, un teinturier...

– Et le capitaine Dorn ? s'écria soudain quelqu'un.

– Candrelar est imprenable, vous ne l'ignorez pas. Ne vous souciez pas de l'armée. C'est mon affaire.

– Vous allez stopper la guerre tout seul ? railla un homme maigrelet.

Finn sourit. Un bref éclair vert passa entre ses paupières mi-closes.

– Pourquoi en doutez-vous ? Il ne m'a fallu qu'une matinée pour être le maître de cette ville. Et sans tuer personne !

– Ça signifie que vous êtes notre chef? supposa Roch'Ambeau.

Finn se raidit et parut soudain plus grand. Il ne souriait plus.

– Ça ne m'intéresse pas. Je vous confie le pouvoir mais je vous préviens ! Si vous agissez mal, si vous ne partagez pas les richesses tout autant que le travail, si vous commettez des crimes et des injustices, vous en subirez les conséquences ! Ce que j'ai fait, je peux le défaire…

Il prit un ton presque joyeux en ajoutant :

– Ah, oui ! Et il n'y aura plus de pendaisons sur l'esplanade du marché !

*
* *

Patriarche et les autres chefs de famille étaient libres. Les drapiers étaient à leur place dans les geôles de Candrelar. Le Singulier avait fièrement exhibé son nain en porcelaine aux Chéramie un peu éberlués. Mais si Maître Finn avait décidé qu'ils devaient faire des gnomes plutôt que des pots, il n'était pas question de discuter.

Le Conseil du Peuple avait élu domicile dans le palais rose. La demeure comportait une salle souterraine protégée par une énorme porte en bronze. L'argent et les objets précieux des drapiers y avaient été déposés et étaient officiellement « propriété de la ville ». Des Gardes restaient en faction en permanence pour surveiller le trésor.

Roch'Ambeau, nommé Conseiller Dominant, présidait une assemblée de dix membres. Finn participait à la première réunion sous la rotonde de la résidence. Une foule nombreuse assistait à l'événement. Comme il était à prévoir, nombre de gens voulaient la mort de ceux qui les avaient exploités. Tant et si bien que Finn finit par s'énerver. Il quitta son siège et monta sur la grande table dressée pour l'occasion.

– Nous sommes ici pour établir des lois et des règles ! s'écria-t-il. Et puisque vous n'êtes capables que de réclamer vengeance, c'est moi qui vais décider ! D'abord, il est interdit d'exécuter qui que ce soit pour quelque motif que ce soit ! Aucune punition ne sera appliquée sans un jugement préalable ! Les épouses et les enfants des drapiers ne seront pas tenus responsables des fautes de leurs maris et pères. Les chefs d'équipe des manufactures, des teintureries, des anciennes magnaneries et les soldats ne seront ni condamnés ni persécutés et reprendront leur travail sous l'autorité du Conseil.

Une vague de protestations parcourut la foule. Finn croisa les bras, le regard sombre… et vert.

– Je vous entends et je vous comprends ! affirma-t-il. Mais vous ne serez dignes et respectables qu'en faisant preuve de mansuétude. Les chefs d'équipe et la Garde obéissaient aux ordres et n'étaient guère mieux lotis que vous autres. De plus, ils sont compétents. Ils doivent conserver leurs postes. Quant aux familles des drapiers, elles sont assez punies d'être dépossédées de leurs maisons et de leurs richesses ! Vous savez qu'il n'y a pas pire que la pauvreté !

Une très jolie fille leva la main et demanda la parole.

– Moi, je voudrais qu'on m'explique pourquoi il n'y a pas de femmes dans le Conseil.

Des ricanements et des plaisanteries jaillirent de

toutes parts. Quoi, des femmes ? Ridicule ! Finn se tourna vers Roch'Ambeau.

– Pour vous, quels sont les problèmes à traiter en priorité ?

– Il faut que la production de la soie reparte.

– Nous devons garantir la sécurité des caravanes ! dit un conseiller.

– Il me semble indispensable de former une nouvelle armée pour défendre Candrelar, ajouta un troisième.

Finn regarda la jeune fille.

– Et pour vous ?

– Il faut nourrir les affamés !

– Oui ! s'écria une autre. Et soigner les malades !

– Vous avez tous raison, répondit Finn. Les femmes et les hommes pensent à des choses différentes. Voilà pourquoi il faut des femmes au Conseil ! Avant que vous ne vous mettiez à hurler, je vous rappelle que c'est moi qui décide...

– Alors, à quoi on sert ? grommela Roch'Ambeau en haussant les épaules.

– Croyez-moi, vous n'aurez pas le temps de vous ennuyer ! Vous devrez faire appliquer les lois, en établir de nouvelles, régler les conflits, diriger les manufactures et la Garde... J'en oublie ! Je propose qu'on augmente le nombre de membres au Conseil.

– Moi, je veux ! s'exclama la jeune fille.

– En qualité de la plus mignonne du quartier ? plaisanta le représentant des aubergistes.

– Parce que je sais lire et écrire, répondit-elle. Et vous ?

Finn rit en voyant les mines renfrognées de la plupart des conseillers. L'aubergiste haussa les épaules et prétendit que, dans sa partie, il était plus utile de savoir compter.

– Moi, j'enseignais le calcul et la lecture ! cria une femme d'âge mûr. Je m'occupais de l'éducation des garçons chez le drapier Prosta ! Et je ne trouve pas normal que les enfants pauvres n'aillent pas à l'école !

– Parfait, acquiesça Finn. Vous êtes toutes les deux conseillères. Venez à la table.

Elles ne se firent pas prier. Comme pour légitimer sa place sans tarder, la jeune fille s'adressa à Finn.

– Qu'allez-vous faire pour ceux qui sont à la rue ?

– Ce que j'ai prévu, dit Finn en souriant. Les installer dans ces belles demeures désormais vacantes.

Il y a assez de place dans une seule d'entre elles pour tous les loger ! Ensuite, ceux qui étaient employés par la Guilde seront payés par le Conseil, la production de la soie appartenant maintenant à la ville. Il va de soi qu'ils recevront ce qu'ils méritent. C'est valable pour tout le monde... Il m'est venu à l'idée de créer un lieu pour soigner la population. Le Conseil rémunérera les guérisseurs et les apothicaires, qui sont plusieurs à m'avoir donné leur accord. L'épidémie de pertussis cause des ravages et il est urgent de l'arrêter. Nous mettrons des lits pour les plus souffrants chez mon « ami » Gupta... Enfin, au même endroit, nous organiserons des distributions de nourriture.

– Ça, je veux m'en charger ! décréta la jeune fille. Tout de suite !

Finn descendit de son perchoir et la regarda longuement.

– Vous êtes la seule à montrer que vous désirez agir plutôt que parler. Je ne nie pas que la discussion soit importante. Cependant, il y a un moment où il faut y mettre un terme. Alors, maintenant, au boulot !

Des cris de liesse retentirent sous la rotonde. Oui ! Oui ! Il était temps de changer les choses !

*
* *

– Ça ne marchera jamais, commenta le Singulier.

– Quel pessimiste ! répondit Finn. Ils auront un peu de mal au début, sans doute. Les Chéramie ont bien réussi, eux. Comme tu as pu le constater, les habitants de Damalone sont heureux et confiants. Ils ont la chance de bénéficier d'un climat clément et d'une terre riche, c'est vrai. L'autorité des chefs de famille, en particulier de Patriarche, est incontestable. Néanmoins, personne n'exploite personne. Tout le monde possède une maison et mange à sa faim.

Le Singulier se frotta les mains.

– Oui, et ils ont la meilleure des cuisines ! Alors, on y retourne ? Ah non… Il faut d'abord délivrer ces pauvres crottes de nez des griffes des soldats. Je ne veux pas jouer les défaitistes et je crois à tes pouvoirs magiques mais, Finn, tu ne peux pas vaincre une armée entière !

– Tu as raison. C'est pourquoi je vais chercher de l'aide.

– Où ?

– À la baronnie de T'Noor. J'y ai une amie. Avant de partir, je dois avoir un petit entretien avec le lieutenant de la Garde incarnate.

– Ah, c'est pour ça que tu me traînes dans les rues ! T'as remarqué ? Les gens s'écartent sur ton passage. Tu leur files la trouille.

– Tant mieux. Ils risquent moins de faire des bêtises.

On s'activait dans la caserne. On attendait pour s'enrôler. Le Conseil du Peuple avait promis d'augmenter la paie des soldats, attirant ainsi les miséreux sans travail. L'officier s'était installé dans les quartiers de Dorn, dont le retour était plus qu'improbable. Il s'admirait dans le miroir lorsque Finn et le Singulier se présentèrent.

– Maître ! s'exclama-t-il, ravi. J'ai été nommé capitaine ! C'est mon nouvel uniforme ! Il me va à ravir, non ?

– Félicitations, répondit Finn. Je m'en veux de vous déranger car il est évident que vous êtes débordé, cependant j'ai besoin de quelques informations.

– Tout ce que vous désirez ! Asseyez-vous, asseyez-vous ! Vous prendrez un verre de liqueur d'épine noire ? Si, si, j'insiste !

Le visage du Singulier s'illumina. Quel brave homme, ce militaire ! Il écouta distraitement la conversation en vidant la bouteille. Finn voulait savoir où l'armée avait dressé son camp d'entraînement. Dorn avait une carte des comtés clouée sur un mur. Le capitaine lui indiqua une zone au centre d'Ulcamar. La région était très peu habitée et se prêtait aux manœuvres.

– Quand Dorn a-t-il l'intention de se mettre en route ?

– Je sais seulement qu'il craignait le froid et la neige. Il paraît que l'hiver est tardif à Hibah.

– Je confirme. À votre avis, combien de temps faut-il pour transformer des paysans en soldats ?

– Des semaines ! Ça m'étonnerait que Dorn ait la patience…

Finn le remercia et arracha le Singulier à sa liqueur. Alors qu'ils s'apprêtaient à sortir, le capitaine ajouta :

– Peut-être ne vous a-t-on pas dit, Maître, qu'il en manque un ? Un drapier.

– Comment ça ?

– Un des membres de la Guilde est parti avec l'armée. Son nom est Fantar. Je l'ai toujours trouvé un peu étrange, celui-là. Pas de femme, pas d'enfants, jamais de fêtes dans son palais... Oui, bizarre.

Le regard de Finn dériva vers le miroir. Il ne se souvenait pas dans quelles circonstances mais il était certain d'avoir déjà entendu parler de Fantar. Il sursauta en apercevant son reflet. Il s'approcha du miroir.

– J'ai les yeux verts... murmura-t-il.

– Ben oui, dit le Singulier. Tu l'ignorais ? J'ai déjà vu plusieurs fois tes yeux prendre cette couleur. Jamais aussi longtemps, malgré tout.

Fasciné, Finn contemplait son visage. Il se reconnaissait à peine. Il avait toujours cru que le Frélampier et le Lampadéphore ne se manifestaient qu'à l'intérieur de lui-même ! Il découvrait, pour son plus grand désarroi, que son apparence physique était également affectée. Cette teinte de vert lui rappelait... la pierre trouvée dans le chariot incendié ! La caravane ! Fantar ! C'était le propriétaire de la caravane !

Le Lampadéphore lui brûla le ventre. Fantar devait posséder des informations sur cette pierre. D'une façon ou d'une autre, Finn était concerné puisque le Lampadéphore l'en avertissait douloureusement. Encore fallait-il mettre la main sur ce mystérieux Fantar...

Chapitre 13
Gloire et décadence

Finn avait refusé de s'installer dans un des palais. Il avait auparavant renoncé à régner à la place des Astromanciens. De nouveau, il abandonnait richesses et pouvoir aux déshérités et aux exploités. Le Singulier le lui avait fait remarquer, et Finn s'était contenté de répondre qu'une plus grande fortune l'attendait quelque part. Il ne savait pas encore où…

Dans sa petite chambre à l'auberge, Finn décousait soigneusement le cœur rose d'une fleur de sa tapisserie. La pierre polie de la taille d'un pois roula au creux de sa main. Il s'approcha de la fenêtre pour l'examiner. En fait, il n'avait jamais pris la peine de la regarder.

Verte, elle l'était sans aucun doute. Laiteuse également mais aussi irisée. Finn ne la trouvait pas jolie.

Quelle était sa valeur? Pourquoi l'avait-on si bien cachée dans la caravane?

Le soleil du matin surgit soudain au-dessus des maisons et éblouit Finn.

– Morte corne! maugréa-t-il. Ça! Qu'est-ce que c'est?

Éclairée par la lumière vive, la pierre irradiait une lueur bleutée. Finn la saisit entre le pouce et l'index et l'éleva dans le soleil. La transparence révéla une inclusion de cristaux d'une finesse extrême.

– On dirait une étoile… murmura Finn.

Pour lui, ça ne signifiait pas grand-chose. N'ayant pas de temps à perdre, Finn entreprit de recoudre la pierre dans sa tapisserie. Puis il rassembla ses affaires et se rendit à l'écurie. Prunelle l'accueillit avec force démonstrations. Brume, d'une nature plus réservée, se contenta d'un simple piaffement.

Finn retrouva le Singulier en compagnie des Chéramie. Patriarche le salua avec respect.

– Maître, nous sommes prêts à combattre.

– Vous n'en êtes pas capables, répondit Finn.

– Nos familles sont prisonnières de l'armée! s'exclama Patriarche. C'est notre devoir!

– Votre devoir est de rentrer chez vous. Je vous ai déjà promis de ramener tout le monde. N'auriez-vous pas confiance ?

– Bien sûr que si, Maître ! Nous voulons seulement vous aider !

– Vous seriez un souci supplémentaire. D'ailleurs, en parlant de souci...

Finn se tourna vers le Singulier.

– Tu es libre de partir. Les Chéramie prendront soin de toi, n'est-ce pas ?

– Quoi ? s'offusqua le nain. Tu veux te débarrasser de moi ?

– Tu n'es pas obligé de venir si tu ne le désires pas.

Le Singulier marmonna pour lui-même quelques-unes de ses insultes favorites.

– Je dois être fou ! finit-il par éclater. La curiosité n'est pas qu'un vilain défaut. C'est surtout un défaut stupide ! Je veux voir comment tu vas t'y prendre pour décimer une armée !

Il n'ajouta pas qu'il s'était attaché à Finn. Et si une immense fortune attendait vraiment celui-ci quelque part ? Il pourrait en profiter !

En discutant avec Patriarche, Finn s'aperçut que les Chéramie ignoraient comment rejoindre Damalone. Il proposa de les accompagner jusqu'au sentier qui traversait le sud de leur comté. Patriarche, confus, jura qu'ils se débrouilleraient. Finn avait pris sa décision et il ne changea pas d'avis.

Le Conseil du Peuple fournit chariots et vivres aux Chéramie. Roch'Ambeau accourut dès qu'il apprit le départ de Maître Finn. Il s'en désolait, inquiet à l'idée de devoir diriger sans lui. Finn le rassura : il n'était pas seul et tout irait pour le mieux s'il obéissait à ses instructions.

Les portes de Candrelar étaient fermées. Les Gardes incarnates laissaient entrer ceux qui se présentaient après un contrôle sévère. Personne n'avait le droit de quitter la ville sans autorisation. Le soldat de faction arrêta la caravane des Chéramie.

– Interdiction de sortir ! hurla-t-il.

– Je ne pense pas que ça s'applique à nous, dit Finn.

Le garde était particulièrement buté et le capitaine dut intervenir. Finn remarqua en riant que, avec de tels militaires, Candrelar était bien protégée !

Finn conduisit les Chéramie par la voie commerciale jusqu'à la croisée des routes. Là commençait le désert rocheux. Patriarche, la larme à l'œil, serra longuement la main du Vénérable Maître Sorcier. Le Singulier soupira. Ses chances de rester en vie s'éloignaient avec les chariots...

Pour le consoler, Finn lui offrit un copieux repas dans une auberge.

Le Singulier gagna deux besants d'argent à la rosette, ce qui le mit de meilleure humeur. Malgré une bonne nuit dans un lit confortable, le nain était à nouveau maussade au réveil. Il ne tarda pas à devenir désagréable et à se plaindre pour un rien. Exaspéré, Finn lui rappela qu'il avait choisi de le suivre de son plein gré. Du coup, le nain se réfugia dans la bouderie.

Le chemin qui menait à la baronnie démarrait non loin de Candrelar. Ils devaient donc revenir sur leurs pas. Finn résista à la tentation de retourner en ville. Il n'avait pas l'esprit tranquille. Il ne doutait pas de la droiture de Roch'Ambeau et du Conseil du Peuple, mais il savait que la convoitise et l'attrait du pouvoir pouvaient corrompre les honnêtes gens.

Alors qu'ils passaient devant quelques modestes habitations, le Singulier s'agita soudain.

– Finn ! Finn ! Là !

Il lui indiquait une des maisons. Finn jeta un bref regard aux jolies fleurs.

– Oui, c'est le printemps ! répondit-il.

– Non ! cria le Singulier. Là ! T'es aveugle ou quoi ?

Finn cligna des paupières comme pour chasser la vision. Sur la margelle du puits, il y avait un nain en porcelaine tenant un arrosoir. Près de la porte, un autre poussant une brouette. Et sous la fenêtre, un troisième portant un fagot de bois sur l'épaule !

De toute évidence, le serviteur des architectes d'Hibah s'était lancé dans le commerce de bibelots. Finn se tapa la tempe avec l'index.

– Qui peut avoir envie de mettre d'aussi affreux nains dans son jardin ?

– Je suis célèbre ! exulta le Singulier.

– N'exagérons rien. Personne ne sait qui tu es !

– Jaloux ! C'est la gloire ! La gloire !

Le Singulier conserva un sourire béat jusque tard dans la journée. Il fit d'heureux rêves et se leva le lendemain... pas content du tout. Il pleuvait à verse.

– Qu'est-ce que c'est que ce pays pourri ? Aaaa-aaaaatcha ! Ça y est ! Je me suis encore enrhumé !

Finn le menaça de l'abandonner sur place s'il recommençait à râler. Puis il lui vanta la cuisine servie au palais de Galin'saga. Quant à la liqueur de livèche, nulle part ailleurs il n'y avait plus délicieux breuvage !

– Et il y a la fille du baron, Siki-Siki…

– T'es amoureux ou quoi ?

– Absolument pas ! protesta Finn.

– Tu rougis, pet de crapaud ! s'esclaffa le Singulier.

Finn haussa les épaules et prétendit s'occuper du harnachement de Brume.

– Allez ! Raconte-moi ! Elle est comment ? Mignonne, hein ?

– Si on veut, répondit Finn. Elle est trop maigre. Je préfère les filles bien en chair.

N'en croyant pas un mot, le Singulier continua de se moquer de lui. Finn finit par admettre que Siki-Siki était très belle avec sa peau noire, ses longs cheveux bruns et ses yeux bleus.

– Sa peau noire ? répéta le Singulier, éberlué.

Le Singulier n'avait pas eu l'occasion de rencontrer un habitant de T'Noor. Quant à la mer que lui décrivait Finn, il n'en avait jamais entendu parler auparavant ! La curiosité et l'excitation lui firent oublier la pluie et la longue route à faire. Il pressa Finn. Il avait hâte de découvrir la baronnie. Et peut-être également de déguster la liqueur de livèche…

*

* *

La jument soufflait fort en grimpant les collines. Le palais de Galin'saga, perché sur le plus haut sommet, était parfois visible entre les bancs de brouillard. Vers midi, le vent se leva et dégagea le ciel. Lorsqu'ils arrivèrent au col, la mer leur apparut. Le Singulier supplia Finn de s'arrêter pour contempler cette chose fabuleuse et sans fin. Il voulait descendre vers le rivage pour l'admirer de plus près. Finn, amusé par son enthousiasme, lui promit qu'ils iraient plus tard. Il fallait se dépêcher : c'était bientôt l'heure du déjeuner !

Les Trabans ne firent aucune difficulté pour leur ouvrir. L'officier de garde demanda ce qu'ils désiraient. Finn mit pied à terre et répondit d'un petit air prétentieux :

– Vous ne me reconnaissez pas ? J'étais ici pour l'élection du Devin Supérieur. Est-ce que Larix Vibur est toujours l'invité du baron ?

– Il est parti depuis longtemps.

– Ah, quel dommage ! Tant pis. Pourriez-vous annoncer mon arrivée à Galin'saga ?

Le Traban s'inclina et s'éloigna. Il fit un signe discret à d'autres soldats.

Finn ne s'aperçut pas que ceux-ci se rapprochaient de lui. Néanmoins, il fut surpris de voir le

Baron et son fils courir dans la galerie extérieure et se précipiter dans l'escalier.

– Fouk'hasma ! Mon cher ami ! Qu'est-ce que…

Les Trabans venaient de le saisir par les bras et l'immobilisaient sur place. Le Singulier, soumis au même traitement, se mit à crier des insultes. Galin'saga, écarlate, s'étouffait presque de colère.

– Où est-elle ? hurla-t-il.

– Qui ? dit Finn, interloqué.

– Ma fille, gredin, ma fille !

Finn sentit une sueur froide couler le long de son dos.

– Siki-Siki ? Je ne comprends pas !

– Tu l'as enlevée ! rugit Fouk'hasma.

– Quoi ? J'ignore où est Siki-Siki !

– Menteur ! Tu es parti avec elle ! Qu'as-tu fait d'elle, hein ? Tu en as eu assez de sa compagnie et tu l'as lâchement abandonnée ? Ou pire !

– Vous êtes fous ! Pourquoi l'aurais-je emmenée ?

– Tu l'as déshonorée ! Tu as jeté la honte sur ma famille !

– Assez ! ordonna Galin'saga en levant la main. Siki-Siki a disparu en même temps que vous. Et nous savons qu'elle a sorti votre âne et votre cheval. Alors il est inutile de nier, vous ne pensez pas ?

– Vous faites erreur, je vous le jure ! Siki-Siki m'a amené mes bêtes, c'est vrai. Puis elle s'en est allée ramasser des coquillages ! Je l'ai quittée sur la lande, ce jour-là. Je n'ai aucune idée de ce qui a pu lui arriver après !

– Enfermez-le, dit le Baron à ses Trabans. Un séjour au cachot lui rendra sans doute la mémoire !

Il se détourna, ne prêtant plus la moindre attention aux protestations de Finn. Fouk attendit un peu pour jouir du spectacle. Les soldats entraînèrent Finn et le Singulier.

– Eh ! vociféra le Singulier. J'y suis pour rien, moi !

– Enfin, c'est absurde ! se défendit Finn. Si j'avais une quelconque responsabilité dans la disparition de Siki-Siki, je ne serais pas revenu à la baronnie !

Les Trabans n'étaient pas intéressés. Ils obéissaient aux ordres. On accédait aux geôles du palais par le beffroi. Finn ne résistait pas. Le Singulier, en revanche, donnait des coups de pied à tous les tibias qui se présentaient.

– Immondes lombrics ! Fientes de corbeau ! Jus de punaise ! Aïe !

Jeté sans ménagement dans une cellule, le Singulier alla s'écraser le nez sur le sol.

– S'il vous plaît, demanda Finn. Pourriez-vous vous occuper de mes animaux ?

Le Traban qui refermait la porte à clé regarda Finn.

– Je suis un cavalier, répondit-il. Jamais je ne laisserai un cheval sans soins.

– Je vous remercie. Ah ! N'oubliez pas l'âne, hein ?

Le Singulier, qui s'était relevé, laissa retomber ses bras le long du corps, accablé.

– C'est le moment de te soucier de ton âne ! Hé ! N'emportez pas la lanterne ! Hé ! Ta mère est un sac à poux !

– Ils ne t'entendent plus, remarqua Finn en s'asseyant sur la couche crasseuse. Pas besoin de lanterne. La lumière passe par ce soupirail.

Le Singulier se suspendit aux barreaux et hurla :

– Et je veux à manger, espèce de prout de bouc !

Fulminant de rage, il se mit à tourner en rond avant de s'arrêter face à Finn.

– Et nous revoilà dans un cachot ! J'aurais dû m'en douter !

– Je suis inquiet pour Siki-Siki, murmura Finn, songeur.

– Mais moi je m'en moque, de ta copine !

Qu'est-ce que tu comptes faire, maintenant, pet de crapaud ?

Finn éclata de rire.

– Bah, tu me connais ! Je vais bien trouver quelque chose à dire !

Chapitre 14
Le nom de la mère

Mélipona ne pouvait plus se rendre à la bibliothèque. Elle avait donc chargé Francolin de lui apporter la bibliothèque ! Confortablement calée dans ses coussins, Mélipona avait l'impression d'être sur un lit de livres. Et elle aimait ça.

– Est-ce que l'euphorbe pousse dans le comté ? demanda-t-elle.

– Je ne m'y connais guère en plantes, répondit Francolin. Pourquoi ?

– Il est écrit là que le lait d'euphorbe peut rendre aveugle. Et l'aconit, il y en a ? Il suffit d'une très petite quantité pour tuer un homme. Le colchique me paraît très intéressant : on ne meurt qu'au bout d'un ou deux jours.

– De qui voulez-vous vous débarrasser ?

– J'ai le choix... Pfuuiit ! Je me fatigue pour rien,

je suis incapable de distinguer un colchique d'une gentiane !

Elle tritura le haut de la page pensivement. Le printemps s'annonçait enfin à Hibah. C'était une bonne nouvelle pour la population. C'en était une mauvaise pour elle. Les routes enneigées seraient dégagées dans les semaines à venir. Il serait alors possible de se rendre dans les carrières de marbre. Les artisans pourraient sculpter les quarante colonnes du mausolée de Sambuc. Une fois Sa Splendeur enterrée, Mélipona n'aurait plus aucun moyen d'empêcher l'élection du Premier Dignitaire. À moins d'empoisonner tout le Conseil...

– Que ferait mon père ? Je suis idiote. S'il était encore vivant, il n'y aurait pas de problème.

Elle se redressa. À force d'être couchée, elle devenait molle. Ça lui portait sur le moral.

– En fait, je devrais me poser une autre question. Francolin, qu'est-ce que ma mère ferait, à ma place ?

– Il me semble qu'elle prendrait la fuite !

– Pourquoi ? Parce qu'elle m'a abandonnée ? Je ne suis pas du genre à déguerpir. D'ailleurs, je ne le peux pas.

– Dites plutôt que vous ne le voulez pas !

– C'est pareil. J'ai bien réfléchi. Je pense que ma mère avait tout prévu. La bibliothèque n'était pas pour elle. Elle était pour moi ! Elle m'a laissé les armes pour me battre. Elle a choisi Sambuc parce que, malgré ses défauts, mon père était capable d'amour pour ses enfants. Elle savait qu'il me protégerait et que je ne manquerais jamais de rien. Et surtout que je serais dans la position idéale pour devenir le Monarque…

– Vous croyez que votre mère était au courant pour la révélation du Papillon ? s'étonna Francolin.

– C'est évident. Ce n'est pas par hasard qu'elle a repris les termes de la révélation pour ajouter *« et chacun recevra ce qu'il mérite »* sur la prophétie du Lampadéphore. C'est à moi que ce message s'adresse. Personne ne peut fuir son destin ! Ce qui m'amène à m'interroger sur le destin de ma mère…

Francolin, par habitude, frotta sa serpillière entre deux tapis. Mélipona sourit en le regardant.

– Vous craignez que j'aborde à nouveau le sujet qui fâche.

Le vieil homme secoua la tête d'un air résigné.

– Sa Splendeur avait interdit que l'on parle de sa seconde épouse.

– Sambuc est mort, vous ne risquez plus rien !

Ne me dites pas que vous êtes inquiet pour moi? Comme si j'allais claironner le nom de ma mère sur tous les toits! À moins que... me cacheriez-vous quelque chose?

– Non, non! Je... je ne suis qu'un vieillard qui perd la mémoire!

– Vous avez oublié son nom!

– Il y a si longtemps! Et puis, Sa Splendeur l'appelait toujours «mon beau mirage»!

La princesse haussa les épaules. Cette manie qu'avait son père de donner des sobriquets à tout le monde! Celui-là était quand même un peu étrange.

– Une illusion qui apparaît dans le lointain et se dérobe quand on s'en approche, murmura Mélipona. Un rêve...

Francolin acquiesça. Il avait gardé le souvenir d'une femme magnifique qu'il ne pouvait pourtant décrire précisément. Quelle était la couleur de ses yeux? De ses cheveux? Elle n'était pas jeune quand elle avait épousé Sambuc. Mais quel âge avait-elle? Grande, petite, mince, potelée? L'image était floue, insaisissable.

– Une apparence trompeuse, remarqua Mélipona. Un beau mirage pour dissimuler un vrai visage... Il y a, derrière tout ce mystère, une explication.

Elle tapota ses coussins puis conclut en riant :

– Y a des moments où je me demande de quoi j'ai hérité. Ou plutôt : de qui !

*
* *

Larix Vibur commençait à s'impatienter à son angle de couloir. Le monstre tardait davantage chaque jour. Et lui, il poireautait ! Enfin, la silhouette gibbeuse se découpa sur le mur.

– Je me faisais du souci pour vous, dit le Vidame d'un ton faussement amical. Personne ne vous a suivie ?

Chimizou fit signe que non. D'ordinaire, elle se contentait de poser le plateau, de faire le guet et d'empocher son besant. Cette fois, elle restait immobile, le front bas, la bouche tordue par un spasme nerveux. Larix Vibur pensa qu'elle voulait plus d'argent. Il n'en était nullement fâché. Il trouvait rassurant que les êtres hideux fussent aussi sans moralité.

– Je vous ai promis d'être généreux si vous m'obéissez.

– Ce n'est pas ça, Maître.

Chimizou releva son œil unique vers lui. Le

Vidame eut un mouvement de recul instinctif. Ce regard borgne le mettait mal à l'aise.

– Eh bien ? grogna-t-il.

– La princesse touche à peine à la nourriture que je lui apporte. Je ne m'en suis pas aperçue au début parce que je l'ai vue manger les fruits. Depuis, j'ai surpris le vieux serviteur dans la cuisine. Il lui prépare toujours la même compote de pommes et de coings.

– Ferait-elle semblant d'être malade ?

– Non, répondit Chimizou. Malade, elle l'est vraiment.

– Donc vous faites erreur.

– Ce n'est pas ce que vous croyez.

Chimizou se tourna de tous côtés pour s'assurer que le couloir était désert.

– Elle est enceinte.

Larix Vibur avala sa salive de travers et toussota.

– Qu... quoi ? Vous... vous êtes sûre ?

– J'étais accoucheuse dans ma jeunesse. Je devine qu'une femme attend un enfant avant qu'elle ne le sache elle-même !

– Mais... enfin... morte corne !

Le cerveau du Vidame entra en ébullition. Acer paierait cher pour une information pareille ! Oui...

et si jamais Mélipona donnait naissance à un garçon ? Celui-ci deviendrait Premier Dignitaire. Voilà qui expliquait cette histoire de mausolée. La princesse avait fait preuve d'une audace incroyable. Larix Vibur répugnait à voir là la manifestation de l'intelligence. Malgré tout, il admirait la manœuvre.

– Enceinte de combien ? demanda-t-il.

– Difficile à dire. Elle est couchée la plupart du temps et elle est d'une nature plutôt charnue. Autour de cinq mois, c'est possible.

Acer ne manquerait pas de s'étonner si sa belle-sœur restait en vie pendant encore quatre mois. Le risque était énorme, mais le Vidame tenait peut-être là sa vengeance. Il pesa le pour et le contre. Tout raconter à Acer ne lui rapporterait sans doute pas grand-chose. Lui cacher la vérité pouvait lui rapporter un tas d'ennuis ! Et aussi l'immense satisfaction d'assister à la chute de ce misérable ver de terre. Malheureusement, il n'y avait qu'une chance sur deux. Mélipona pouvait avoir une fille. La prudence fit pencher la balance. Larix Vibur décida qu'il valait mieux avertir Acer. Et tout à coup, une question évidente lui vint à l'esprit.

– De qui ? De qui la princesse est-elle donc enceinte ?

Chimizou pencha la tête du côté droit et son œil aveugle fixa le Vidame.

– Il y a des rumeurs qui circulent parmi les serviteurs. Je ne sais pas si elles sont fiables.

– J'en jugerai. Parlez !

– Il paraît qu'un étranger s'est présenté pendant le mariage d'Oupalavi. D'après les serviteurs, il aurait résolu l'énigme de Sa Splendeur Sambuc. Et puis, si j'ai bien compris, c'est à cause de lui que notre Prince a tué les drapiers.

Larix Vibur plissa les paupières. Cette histoire-là, il l'avait déjà entendue…

– Les blanchisseuses prétendent que Mélipona est tombée sous le charme du jeune homme. Ce sont de sacrées langues de vipères ! Une des lavandières jure que la princesse et l'étranger ont disparu pendant une bonne partie de la nuit. C'est peut-être vrai parce que si on calcule… ça fait un peu plus de cinq mois qu'Oupalavi est mariée.

Le visage du Vidame prit une vilaine couleur vert-de-gris. Mélipona enceinte de Finn ? C'était inimaginable. Et si la prédiction faisait référence à cet enfant et non pas à Finn ? Le destin du Frélampier est de changer les choses et tout sera bouleversé… Le fils du Frélampier, le petit-fils de Miricaï, deviendrait le Premier Dignitaire du Conseil! Sûr que ça changerait pas mal de choses! Et si c'était une fille... Non! Un garçon, forcément! Larix Vibur n'avait plus de doute sur la conduite à suivre. Il fallait, coûte que coûte, protéger la maternité de Mélipona. Après tout, le risque était minime. La princesse vivait recluse dans ses appartements. Le Vidame, pas plus que les autres, n'avait l'occasion de la voir. Il pouvait ignorer son état. Restait un problème à régler: Mélipona était supposée mourir empoisonnée. Acer faisait preuve de patience mais ça ne durerait pas éternellement. À chaque jour suffit sa peine, pensa le Vidame. Il aviserait le moment venu.

– Pas un mot à qui que ce soit, dit-il.

Chimizou s'inclina devant lui. Elle lui était toute dévouée. Larix Vibur n'oublia pas de lui donner deux besants d'argent, somme dérisoire en échange de son silence. Puis s'en alla vers la salle à manger.

La vieille femme se redressa soudain. La bosse de son dos s'effaça. Les horribles cicatrices rouges qui balafraient ses joues pâlirent. L'iris blanc de son œil aveugle s'injecta de sang. Chimizou souriait.

Et c'était effroyable.

Chapitre 15
L'histoire des quatre dragons que l'on raconte dans les comtés

Les Anciens avaient chassé les dragons, les serpents à deux têtes, les monstres du jour et de la nuit hors des comtés. Ils avaient dressé un mur invisible à la frontière du Royaume du Mal absolu. Depuis ces temps immémoriaux, les Maîtres Sorciers soutenaient cette barrière magique et empêchaient le retour des créatures.

Miricaï n'avait peur de rien. Il avait déjà maintes fois fait preuve de ses talents et de sa force. Son audace semblait sans limites. La curiosité poussa Miricaï à franchir les montagnes et à pénétrer dans le Royaume du Mal absolu.

Les animaux détalaient devant lui, les bêtes les plus dangereuses s'écartaient de son chemin. Miricaï ne se donnait pas la peine de les poursuivre. Il s'amusait de la crainte qu'il suscitait.

Mais le Dragon Jaune ne s'enfuit point. Il était si terrible que les fleurs dépérissaient dans son ombre. Chacune de ses pattes se terminait en une griffe énorme et meurtrière. Il se jeta sur le Sorcier en lui promettant la plus affreuse des morts. Miricaï tira son épée et para l'attaque. La bataille fut longue et sanglante. À l'heure où le soleil décline, le Dragon Jaune reconnut sa défaite.

– Laisse-moi la vie et je t'offrirai le plus précieux des cadeaux.

– D'accord, répondit Miricaï.

La terre s'effondra à ses pieds. Au fond du trou, il y avait une petite clé d'or.

– Voici la clé qui ouvre toutes les portes, dit le Dragon Jaune.

Alors que Miricaï se penchait pour prendre l'objet, le Dragon Jaune se précipita vers lui en hurlant de rage. Miricaï fut le plus rapide et lui transperça le cœur.

– Stupide dragon ! Je t'aurais épargné ! Et maintenant, tu expires ton dernier souffle !

Miricaï empocha la clé et continua sa route.

Le matin suivant surgit le Dragon Bleu. Il était si

terrible que les fruits dépérissaient dans son ombre. Chacune de ses pattes se terminait en deux griffes énormes et meurtrières. Il se jeta sur le Sorcier en lui promettant la plus affreuse des morts. Miricaï tira son épée et para l'attaque. La bataille fut longue et sanglante. À l'heure où le soleil décline, le Dragon Bleu reconnut sa défaite.

– Laisse-moi la vie et je t'offrirai le plus précieux des cadeaux.

– D'accord, répondit Miricaï.

La terre s'effondra à ses pieds. Au fond du trou, il y avait un petit miroir en argent.

– Voici le miroir qui cache aux autres ton vrai visage, dit le Dragon Bleu.

Alors que Miricaï se penchait pour prendre l'objet, le Dragon Bleu se précipita vers lui en hurlant de rage. Miricaï fut le plus rapide et lui transperça le cœur.

– Stupide dragon ! Je t'aurais épargné. Et maintenant, tu expires ton dernier souffle !

Miricaï empocha le miroir et continua sa route.

Le matin suivant surgit le Dragon Rouge. Il était si terrible que les arbres dépérissaient dans son ombre. Chacune de ses pattes se terminait en trois griffes énormes et meurtrières. Il se jeta sur le Sorcier en lui promettant la plus affreuse des morts. Miricaï tira son épée et para l'attaque. La bataille fut longue et sanglante. À l'heure où le soleil décline, le Dragon Rouge reconnut sa défaite.

– Laisse-moi la vie et je t'offrirai le plus précieux des cadeaux.

– D'accord, répondit Miricaï.

La terre s'effondra à ses pieds. Au fond du trou, il y avait un petit livre à la couverture de bronze.

– Voici le livre qui dévoile l'avenir, dit le Dragon Rouge.

Alors que Miricaï se penchait pour prendre l'objet, le Dragon Rouge se précipita vers lui en hurlant de rage. Miricaï fut le plus rapide et lui transperça le cœur.

– Stupide dragon ! Je t'aurais épargné ! Et maintenant, tu expires ton dernier souffle !

Miricaï empocha le livre et continua sa route.

Le matin suivant surgit le Dragon Vert. Il était si terrible que les animaux dépérissaient dans son ombre. Chacune de ses pattes se terminait en quatre griffes énormes et meurtrières. Miricaï tira son épée. Le Dragon Vert ne bougea pas.

– Tu ne me promets pas la plus affreuse des morts ? s'étonna Miricaï.

– À quoi bon se battre ? répondit le Dragon Vert. À l'heure où le soleil décline, je devrai reconnaître ma défaite.

– Sans doute. Et je te laisserai la vie si tu m'offres le plus précieux des cadeaux.

Le Dragon Vert baissa la tête en signe de soumission. Il sourit de toutes ses monstrueuses dents pointues.

– Tu as déjà trois précieux cadeaux. Je te mets en garde, cependant. Ce sont des armes à double tranchant.

– Comment cela ? demanda Miricaï.

– La clé t'ouvrira toutes les portes, y compris celle qui te conduira à ta perte. Le miroir te permettra de changer plusieurs fois d'apparence, mais la dernière transformation sera définitive et tu ne pourras plus retrouver ton vrai visage. Quant au livre aux pages blanches, il te rendra fou si tu cherches à y lire ton propre destin.

– Il y a des risques qu'il faut prendre. Et toi, que m'offres-tu ?

La terre s'effondra à ses pieds. Au fond du trou, il n'y avait rien.

– Regarde mieux, conseilla le Dragon Vert.

Miricaï se pencha et aperçut un petit objet

enfoncé dans la glaise. Il le ramassa pour l'examiner et ne vit qu'un vieux noyau sec.

– Qu'est-ce que c'est ?

– Une graine.

– Oui, merci ! Je sais que c'est une graine ! Où est la magie ?

– Plante-la et un amandier fleurira. Cet amandier donnera une graine que quelqu'un plantera à son tour et qui donnera un autre amandier.

– Te moquerais-tu de moi ?

À cet instant, le Dragon Vert se précipita vers lui en hurlant de rage. Miricaï fut le plus rapide et lui transperça le cœur.

– Pourquoi ? s'écria Miricaï. Je t'aurais épargné !

– Nul ne peut aller à l'encontre de sa nature profonde, soupira le Dragon Vert. La mienne est de combattre les Sorciers.

– Maintenant, tu expires ton dernier souffle ! Et tu ne m'as pas dit en quoi ce vieux noyau sec était magique !

– C'est le plus grand de tous les pouvoirs, répondit le Dragon Vert. Je n'ai rien à ajouter.

Le Dragon Vert mourut en prononçant ces mots. Miricaï s'assit sur un rocher et contempla le noyau. Une graine qui donne un amandier qui donne une graine qui donne un amandier? Ça, le plus grand de tous les pouvoirs?

Puis Miricaï comprit qu'au creux de sa main il tenait le pouvoir de la Vie.